金陵全書

甲編・方志類・府志

康熙江寧府志（二）

（清）陳開虞　纂修

南京出版社

江寧府志卷之十

大清賦役上元

一縣田畝大總

原額田地山塘坍塲雜産共捌千捌百玖頃捌拾壹畝捌分肆釐肆毫壹絲

上鄉田伍千玖拾壹頃陸拾伍畝叁分肆釐壹毫壹絲每畝起派本色漕南米肆升捌勺陸抄玖撮陸粟陸粒壹顆玖黍共徵本色米貳萬捌百玖石壹斗壹升貳合貳抄玖撮貳圭肆粟叁粒柒顆壹黍每畝起派撥糧條編并玖釐地畝銀肆分玖釐玖毫陸忽陸

微伍纖伍沙肆塵伍渺壹漠共徵銀貳萬伍千肆百
壹拾兩柒錢叁分玖釐壹毫肆絲叁忽叁微伍纖陸
沙柒塵肆渺玖漠
下鄉田叁百柒頃玖拾壹畝柒分玖毫每畝起派本
色漕南米叁升陸合陸勺貳抄貳撮捌圭玖粟伍粒
伍顆陸黍共徵本色米壹千壹百貳拾柒石陸斗捌
升壹合伍勺肆抄叁撮捌圭陸粟叁粒伍顆捌黍每
畝起派稅糧條編并玖釐地畝銀肆分陸釐貳絲伍
忽肆微叁沙捌塵伍漠共徵銀壹千肆百壹拾柒兩
貳錢捌毫肆絲伍微柒纖壹沙捌渺肆漠

原荒田捌拾玖項柒拾壹畝貳分柒釐捌毫毎畝起派荒白銀壹分柒釐陸毫玖絲共徵銀壹百伍拾捌兩柒錢壹釐玖毫柒忽捌微貳纖

告墾荒田柒拾貳項玖拾玖畝貳分玖釐陸毫毎畝起派荒白銀壹分陸釐貳毫伍絲共徵銀壹百壹拾捌兩陸錢壹分叁釐伍毫陸絲

上鄉地壹千叁百玖拾柒項玖拾壹畝陸分伍釐伍毫毎畝起派本色漕南米貳升貳合捌勺柒撮捌圭伍粟叁粒壹顆叁黍共徵本色米叁千壹百捌拾捌石叁斗肆升柒合伍勺叁抄伍撮壹圭伍粟壹粒玖

粟伍黍每畝起派稅糧條編并玖釐地畝銀貳分柒
釐貳毫玖絲叁忽肆微玖塵肆渺陸漠共徵銀叁千
捌百壹拾伍兩叁錢捌分玖釐陸毫捌絲捌忽捌微
肆纖肆沙叁塵陸渺玖漠
下鄉地陸拾貳頃柒拾捌畝柒分陸釐捌毫每畝起
派本色漕南米壹升捌合捌勺玖抄柒撮玖圭叁粟
伍粒肆顆伍黍共徵本色米壹拾捌石陸斗伍升伍
合柒勺伍抄貳撮叁圭陸粟壹粒玖顆叁黍每畝起
派稅糧條編并玖釐地畝銀貳分肆釐壹毫壹絲肆
忽伍微叁纖貳沙貳塵壹渺貳漠共徵銀壹百伍拾

壹兩肆錢玖釐伍毫伍絲叁忽壹微玖纖壹沙壹塵
蘆地壹拾叁頃肆拾壹畝叁分伍釐壹毫每畝起派
本色漕南米肆升伍合陸勺壹抄伍撮柒圭陸粒貳
顆伍黍共徵本色米陸拾壹石壹斗捌升陸合陸勺
柒抄叁撮貳圭壹粒柒顆玖黍每畝起派稅糧條編
并玖釐地畝銀伍分肆釐伍毫捌絲陸忽捌微壹沙
捌塵玖渺貳漠共徵銀柒拾叁兩貳錢貳分陸絲壹
忽叁微伍沙壹塵伍漠
草場地叁拾伍畝每畝起派本色漕南米叁合柒勺
伍撮壹圭壹粟貳粒玖顆叁黍共徵本色米壹斗貳

升玖合陸勺柒抄捌撮玖圭叁粟陸粒叁顆伍黍每
畝起派稅糧條編并玖釐地畝銀肆釐肆毫叁絲叁
忽柒微捌纖伍沙陸塵玖渺共徵銀壹錢伍分伍釐
壹毫捌絲貳忽肆微柒纖玖沙陸塵陸渺伍漠
原荒地叁拾頃捌拾畝貳分壹釐伍毫每畝起派荒
白銀壹分共徵銀叁拾兩捌錢貳釐壹毫伍絲
告墾荒地壹拾壹頃捌拾陸畝捌分壹釐叁毫每畝
起派荒白銀捌釐柒毫伍絲共徵銀壹拾兩叁錢捌
分肆釐陸毫壹絲叁忽柒微伍纖
山塘雜產壹千柒百貳拾伍頃捌拾玖畝捌釐肆毫

每畝起派本色漕南米陸合伍勺壹抄陸撮伍圭貳粟玖粒肆顆陸黍共徵本色米壹千壹百貳拾肆石陸斗捌升壹合捌勺伍抄壹撮貳圭肆粟陸顆玖黍每畝起派稅糧條編并玖厘地畝銀柒釐柒毫玖絲捌忽壹微壹纖肆沙伍塵伍渺陸漠共徵銀壹千叁百肆拾伍兩捌錢陸分玖釐肆毫肆絲捌忽壹微伍纖伍沙柒塵叁渺陸漠

改荒坍塌肆頃伍拾壹畝叁分叁釐肆毫每畝起派荒白銀貳釐伍毫共徵銀壹兩壹錢貳分捌釐叁毫叁絲伍忽

以上田地山塘坍塌雜產各科則不等照起存錢糧實數驗派共徵稅糧條編荒白并玖釐地畝銀叁萬貳千伍百叁拾叁兩陸錢壹分肆釐肆毫捌絲肆忽肆微柒纖叁沙捌塵捌漠

內除優免鄉紳舉貢生員雜職等戶銀伍拾陸兩柒錢玖分柒釐壹毫肆絲柒忽肆纖陸沙肆塵叁渺陸漠照得優免壹項案准部文不免起解各部正供止免存留雜辦差徭錢糧但紳衿雜職間有陞遷事故逐年增減不一今照現在確數開載如有消長該縣預詳院司于每年派糧易知由單內再為增減報部查考續于順治十五年四月內准部議停免改解戶部

實徵稅糧條編并玖釐地畝銀叁萬貳千肆百柒拾

陸兩捌錢壹分柒釐叁毫叁絲柒忽肆微貳纖柒沙
叁塵柒渺貳漠
實徵漕南本色米豆貳萬陸千肆百貳拾玖石柒斗
玖升伍合陸抄肆撮
一縣人丁大總
原額人丁貳萬玖千貳拾伍丁于順治伍年審增人
丁貳百壹拾柒丁原額審增共人丁貳萬玖千貳百
肆拾貳丁每丁一例派徵銀捌分陸釐共徵銀貳千
伍百拾肆兩捌錢壹分貳釐
內除鄉紳舉貢生員吏承等戶優免丁柒百肆拾玖

丁免銀陸拾肆兩肆錢壹分肆釐於順治十五年四月內准部文止免鄉紳舉貢生員本身壹丁餘丁併吏承不免外實免銀貳拾肆兩柒錢叁分叁釐陸毫餘銀叁拾玖兩陸錢捌分肆毫解部

實在當差人丁貳萬捌千肆百玖拾叁丁共徵銀貳千肆百伍拾兩叁錢玖分捌釐

一縣田畝人丁大總

丁田共實徵夏稅秋糧地畝條編折色銀叁萬肆千玖百貳拾柒兩貳錢壹分伍釐叁毫叁絲柒忽肆微貳纖柒沙叁塵柒渺貳漠

夏稅銀叁百玖拾捌兩柒錢陸分壹釐壹毫肆絲陸

忽柒微伍纖內本色銀壹百陸兩玖分柒釐叁忽折
色銀貳百玖拾貳兩陸錢陸分肆釐壹毫肆絲叁忽
柒微伍纖
秋糧銀叁萬肆千伍百貳拾捌兩肆錢伍分肆釐壹
毫玖絲陸微柒纖柒沙叁塵柒渺貳漠
戶部本折銀壹萬壹千肆百兩伍錢捌分壹釐玖毫
柒絲玖微壹纖肆沙肆塵
禮部折色銀壹百肆拾叁兩柒錢伍分
兵部折色銀伍千陸拾壹兩貳錢
工部本折銀壹千玖百玖拾柒兩柒錢貳分叁釐捌

毫貳絲柒忽伍微
鋪墊銀貳拾肆兩貳錢玖分伍釐
四部本折水脚等銀陸百貳拾叁兩壹錢肆分伍釐
玖毫捌絲柒忽貳纖柒沙[illegible]塵叁渺貳漠
輕賫等銀貳千陸百貳拾伍兩肆錢捌分捌釐貳毫
壹絲壹忽捌微
本色蔴木板片等銀叁拾叁兩玖錢壹分柒釐陸毫
壹絲
改解南省折色并本省米豆綱司水脚門籌等銀叁
千叁百伍拾捌兩叁錢肆分叁毫陸絲壹忽伍微捌

織
驛站銀叁千捌百玖拾柒兩貳錢零陸釐伍毫陸絲
兵餉銀貳百柒拾柒兩
各衙門銀伍百肆拾伍兩伍錢玖分肆釐貳毫六絲
經費銀壹千柒百伍拾貳兩叁錢貳分玖釐叁毫捌
絲
存留支給銀壹千捌百壹拾壹兩叁錢肆分捌釐伍
毫柒忽貳微
裁省解部銀壹千叁百柒拾伍兩貳錢玖分叁釐陸
毫陸絲壹忽肆微伍沙伍塵肆渺

外優免丁糧二項解部銀玖拾陸兩肆錢柒分柒厘五毫肆絲柒忽肆纖陸沙肆塵叄渺陸漠
實徵本色漕南米豆貳萬陸千肆百貳拾玖石柒斗玖升伍合陸抄肆撮
本色兌軍正米壹萬貳千玖百陸拾玖石每石加耗肆斗該耗米伍千壹百捌拾柒石陸斗
本色改兌正米叄千陸百柒拾柒石每石加耗叄斗該耗米壹千壹百叄石壹斗
本色留充本省兵馬米貳千陸百貳石伍斗叄升柒合陸勺陸抄肆撮豆伍百叄拾石伍斗伍升柒合肆

勺
本色存留孤貧米叁百陸拾石
外不在人丁田畝派徵雜項出辦
兵部項下
牧馬草塲田地山塘玖拾頃捌拾貳畝捌毫叁絲柒
忽共徵租銀貳百貳拾柒兩叁錢玖分肆釐
工部項下
工部輪班人匠貳拾名每名銀肆錢伍分共銀玖兩
此項于順治二年准部文免派於順治十五年六月
內奉
旨照舊徵
解工部

學田

本縣學田玖頃玖拾貳畝捌分伍釐捌毫叁絲共徵租銀壹百叁拾貳兩玖錢貳分肆釐壹毫查此項照舊徵催聽候學院項下支取給發試卷及賑濟本縣貧生之用

本縣蘆課額銀壹萬叁千叁百玖拾肆兩零玖分

雜辦內減徵免課程等項

本縣門攤酒醋本色鈔肆千捌百貳拾貳貫肆百捌拾伍文每貫折銀陸毫共銀貳兩捌錢玖分叁釐肆毫玖絲壹忽本色銅錢壹萬肆百壹拾文伍分遇閏加鈔肆百壹貫貳百肆拾文銅錢叁百陸拾叁文此項

丁順治三年奉招撫内院洪　訂正經制改編前項
南餉項下在於田畝徵解其門攤鋪戶免派
戶口
戶貳萬玖千伍拾玖戶
口男婦軍匠共壹拾叁萬叁千柒百玖拾伍口
江寧
一縣田畝大總
原額田地山塘雜產共柒千肆百肆拾捌頃陸拾畝
壹分貳毫柒絲肆忽
民徵熟田肆千柒百貳拾頃陸拾柒畝陸分壹毫肆
絲又公侯功臣等改徵民田壹百貳拾玖頃玖拾肆

畝柒分柒釐伍毫壹絲俱每畝起派本色漕南米肆升壹合陸勺叁抄伍撮陸圭柒粒柒顆肆黍共徵本色米貳萬壹百玖拾伍石捌斗陸升柒合貳勺伍抄陸撮叁圭壹粟柒粒陸顆肆黍每畝起派稅糧條編并玖釐地畝銀肆分叁釐壹毫貳絲壹忽柒微陸纖叁沙壹塵柒渺肆漠共徵銀貳萬玖百壹拾陸兩柒錢肆分伍釐肆毫叁絲伍忽伍微陸纖捌沙伍塵叁渺貳漠

欺隱田伍頃壹拾畝玖分柒釐陸毫肆絲陸忽每畝起派本色漕南米肆升伍合陸勺肆抄肆撮貳圭柒

粟玖粒貳顆玖黍共徵本色米貳拾叁石叁斗貳升
叁合壹勺伍抄貳撮貳圭伍粟壹粒叁顆叁黍每畝
起派稅糧條編幷玖釐地畝銀肆分柒釐貳毫陸絲
捌忽壹微陸纖陸沙貳塵陸渺陸漠共徵銀貳拾肆
兩壹錢伍分貳釐玖毫貳絲貳微陸纖玖沙肆塵玖
渺肆漠
荒田壹拾頃捌拾伍畝肆分伍釐伍毫每畝起派荒
白銀壹分捌釐捌毫捌絲捌忽伍微伍纖共徵銀貳
拾兩伍錢貳釐陸毫柒絲壹忽肆纖貳塵伍渺
荒灘田壹頃貳畝陸分伍釐每畝起派荒白銀壹分

共徵銀壹兩貳分陸釐伍毫

民徵熟地壹千肆百肆拾壹頃叁拾捌畝叁分柒釐叁毫叁絲又公侯功臣等改徵民地貳拾壹頃陸拾肆畝捌分玖釐肆毫俱每畝起派本色漕南米貳升壹合肆抄肆撮肆圭貳粟伍顆共徵本色米叁千玖拾叁石肆斗玖升柒合捌勺肆撮叁粟柒粒捌顆陸黍每畝起派税糧條編并玖釐地畝銀貳分壹釐捌毫玖絲陸忽陸微柒纖伍沙柒塵伍渺伍漠共徵銀叁千貳百叁兩伍錢伍分伍釐貳毫伍忽玖微伍纖陸沙肆塵壹渺陸漠

斯隱地柒頃陸拾陸畝陸分壹釐捌毫捌絲捌忽毎
畝起派本色漕南米貳升肆合壹勺陸抄伍撮伍粟
貳粒共徵本色米壹拾捌石伍斗貳升伍合叁勺捌
抄伍撮玖粟柒粒伍顆肆黍毎畝起派稅糧條編并
玖厘地畝銀貳分伍厘貳絲肆忽柒微柒纖貳沙貳
塵玖渺壹漠共徵銀壹拾玖兩壹錢捌分肆厘肆毫
陸絲貳忽玖微陸沙貳塵伍渺柒漠
荒地伍頃壹拾壹畝柒分玖厘柒毫伍絲毎畝起派
荒白銀壹分共徵銀伍兩壹錢壹分柒厘玖毫柒絲
伍忽

荒灘地壹頃捌拾柒畝捌分毎畝起派荒白銀伍厘
共徵銀玖錢叁分玖厘
民徵山塘雜產壹千伍拾貳頃肆拾伍畝伍分貳厘
捌毫又公侯功臣等改徵民山塘貳拾肆頃柒拾肆
畝玖分壹厘貳毫叁絲毎畝起派本色漕南米陸合
肆抄壹撮貳圭陸粟貳粒玖顆玖黍共徵本色米陸
百伍拾石柒斗陸升柒合伍勺壹抄貳圭陸粟叁粒
肆顆陸黍毎畝起派稅糧條編并玖釐地畝銀陸釐
貳毫伍絲陸忽壹微玖纖叁沙柒渺叁漠共徵銀陸
百柒拾叁兩玖錢壹分玖釐捌毫柒絲貳忽肆微捌

沙壹塵叁渺伍漠
欺隱山塘貳拾陸頃捌畝柒分壹釐捌絲每畝起派
本色漕南米陸合肆抄壹撮貳圭陸粟貳粒玖顆玖
黍共徵本色米壹拾伍石柒斗伍升玖合玖勺捌撮
叁粟貳粒壹顆柒黍每畝起派稅糧條編玖釐地畝
銀陸釐貳毫伍絲陸忽壹微玖纖叁沙柒渺叁漠共
徵銀壹拾陸兩叁錢貳分伍毫柒絲捌忽肆微叁纖
陸沙叁漠
以上本縣田地山塘雜産各科則不等照起存錢糧
實數驗派共徵稅糧條編荒白弁玖釐地畝銀貳萬

肆千捌百捌拾壹兩肆錢陸分肆釐陸毫貳絲壹忽伍微捌纖伍沙捌渺柒漠內除優免鄉紳舉貢生員雜職等戶銀捌拾叁兩肆錢伍分貳釐貳毫壹絲壹忽陸微貳纖貳沙肆塵伍渺柒漠照得優免一項案准部文不免起解各部正供止免存留雜辦差徭錢糧但紳衿雜職間有陞遷事故逐年增減不一今照現在確數開載如有消長該縣預詳院司於每年派糧易知由单內再爲增減報部查考續於順治十五年四月內准戶部議停免改解部充餉

實徵稅糧條編并玖釐地畝銀貳萬肆千柒百玖拾捌兩零壹分貳釐肆毫玖忽玖微陸纖貳沙陸塵叁渺

實徵本色漕南米豆貳萬叁千玖百玖拾柒石柒斗
肆升壹合壹抄陸撮
一縣人丁大總
原額人丁貳萬壹千陸百伍拾柒丁於順治伍年審
增人丁捌百叁拾肆丁原額審增人丁共人丁貳萬
貳千肆百玖拾壹丁每丁壹錢派徵銀柒分肆釐共
徵銀壹千陸百陸拾肆兩叁錢叁分肆釐內除鄉紳
舉貢生員吏承等户優免人丁陸百壹拾叁丁共免
銀肆拾伍兩叁錢陸分貳釐於順治十五年四月內
准部文優免人丁止免
鄉紳舉貢生員本身一丁餘丁併吏承等不免外實
免銀貳拾兩伍分肆釐餘銀貳拾伍兩叁錢捌釐解

部

實在當差人丁貳萬壹千捌百柒拾捌丁共徵銀壹千陸百壹拾捌兩玖錢柒分貳釐

一縣田畝人丁大總

丁田共實徵夏稅秋糧地畝條編折色銀貳萬陸千肆百壹拾陸兩玖錢捌分肆釐肆毫零玖忽玖微陸纖貳沙陸塵叁渺

夏稅銀叁百柒拾柒兩柒錢柒分壹釐壹毫叁絲叁忽柒微伍纖折色銀貳百玖拾叁兩叁分捌釐叁絲壹忽貳微伍纖本色銀捌拾肆兩柒錢叁分叁釐壹毫貳忽伍微

秋糧銀貳萬陸千叁拾玖兩貳錢壹分叁釐貳毫柒
絲陸忽貳微壹纖貳沙陸塵叁渺
戶部本折銀玖千捌百伍拾伍兩伍錢捌分叁釐陸
毫壹忽柒纖陸沙柒塵捌渺
禮部折色銀壹百壹拾叁兩柒錢伍分
兵部折色銀壹千捌百玖拾壹兩貳錢
工部本折銀壹千貳百玖拾貳兩肆分貳釐壹毫貳
絲伍忽
鋪墊銀貳拾肆兩肆錢零叁釐
四部本折水脚綑司解費等銀肆百肆拾伍兩貳錢

柒分陸釐叁毫肆絲叁微壹纖玖沙捌塵壹漠

輕齊等銀貳千叁百叁拾陸兩零捌分伍釐陸毫捌

絲捌忽

本色蓆木板片等銀叁拾兩壹錢柒分柒釐陸毫

改解南省折色幷本色米豆水脚綱司門籌銀貳千

捌百肆拾肆兩玖錢捌分捌釐叁毫貳忽捌微

驛站銀貳千柒百陸拾柒兩玖錢柒分玖釐貳毫伍

絲

兵餉銀壹百柒拾兩

各衙門銀壹拾貳兩肆錢捌分捌釐肆毫

經費銀壹千陸百捌拾壹兩叁錢陸分陸毫陸絲
存留支給銀壹千陸百柒拾伍兩玖錢壹分柒釐伍
毫伍絲伍忽肆微
裁省解部銀壹千貳百柒拾伍兩柒錢叁分壹釐捌
毫捌絲柒忽叁微陸纖陸沙肆塵玖漠
外優免丁糧貳項解部銀壹百捌兩柒錢陸分貳毫
壹絲壹忽陸微貳纖貳抄肆塵伍渺柒漠
實徵本色漕南米豆貳萬叁千玖百玖拾柒石柒斗
肆升壹合壹抄陸撮
本色兌軍正米壹萬壹千伍百肆拾石每石加耗肆

斗該耗米肆千陸百壹拾陸石
本色改兌正米叁千貳百柒拾石每石加耗叁斗該
耗米玖百捌拾壹石
本色留充本省兵馬米貳千柒百陸拾肆石壹斗壹
升玖合陸勺壹抄陸撮豆伍百叁拾捌石陸斗貳升
壹合肆勺
本色孤貧米貳百捌拾捌石
外不在田畝人丁派徵雜項出辦
兵部項下
本縣牧馬草場田地山塘壹百玖拾玖項玖拾捌畝

叁釐伍絲共徵租銀壹百捌拾陸兩零玖分陸釐叁

脚銀壹兩捌錢陸分玖毫陸絲

工部項下

工部輪班人匠三名每名銀肆錢伍分共銀壹兩叁

錢伍分查此項于順治貳年准部文免編今順治十五年六月內准部覆　題奉

旨照舊徵解

學田

本縣學田肆頃玖拾貳畝壹分玖釐捌毫空地壹塊

房貳所壹拾柒間陸披共徵租銀壹百壹拾捌兩捌

錢叁分伍釐肆毫租錢貳萬壹千陸百文查此項照舊催徵聽

候學院　項下支取刊刷考

卷及賑濟本縣貧生之用

本縣蘆課額銀柒千肆百柒拾陸兩貳錢肆分

雜辦內減徵寬民課程欵項

本縣酒醋額徵鈔肆千壹百陸拾玖貫叁百伍拾伍

文每貫折銀陸毫該銀貳兩伍錢壹釐陸毫壹絲叁

忽本色銅錢捌千叁百叁拾捌文遇閏加鈔叁百肆

拾柒貫叁百肆拾伍文伍分該銀貳錢捌釐肆毫壹

絲銅錢陸百玖拾肆文綱司門籌水脚等費錢柒千

伍百文銀錢俱市鎮酒醋鋪行出辦

本縣房屋額徵鈔肆千壹百陸拾玖貫叁百伍拾伍

文每貫折銀陸毫該銀貳兩伍錢壹釐陸毫壹絲叁忽本色銅錢捌千叁百叁拾捌文遇閏加鈔叁百肆拾柒貫叁百肆拾伍文折銀貳錢零捌釐肆毫壹絲銅錢陸百玖拾肆文鈔司米糊門籌等費錢柒千伍百文銀錢徵於本縣房地租銀出辦以上二款於順治三年准內院許王經制改編書款南衙項下田畝徵解其二款免派于民

戶口

戶壹萬柒千陸百叁拾肆戶

口男婦單匠共伍萬壹千壹百壹拾叁口

句容

一　縣田畝大總

原額田地山塘蘆蕩草場共壹萬肆千肆百玖拾玖
頃肆拾貳畝壹毫
徵田柒千叁百陸拾叁頃伍拾捌畝壹分壹毫每畝
起派本色糙粳米肆升叁合伍勺陸抄玖撮柒粟一
粒捌顆叁黍其徵本色米叁萬貳千捌拾貳石肆斗
叁升捌合玖勺玖抄伍撮肆圭玖粟捌粒貳顆陸黍
每畝起派稅糧條編并玖釐地畝銀伍分玖釐肆毫
伍絲玖忽伍微伍纖玖沙陸塵捌渺柒漠捌埃其徵
銀肆萬叁千柒百捌拾叁兩伍錢貳分捌釐肆毫伍

絲柒忽捌微捌纖捌沙伍渺肆漠
荒田陸拾捌頃壹拾柒畝捌釐每畝起派荒白銀肆
分壹釐貳毫伍絲共徵荒白銀貳百捌拾壹兩貳錢
零肆釐伍毫伍絲
徵地貳千伍百柒拾貳頃貳拾叄畝貳分叄毫每畝
起派本色漕南米壹升陸合玖勺伍抄肆圭叄粟伍
粒肆黍共徵本色米肆千捌百柒拾肆石肆斗玖升
壹合陸勺壹撮伍圭陸粟伍粒壹顆貳黍每畝起派
稅糧條編銀玖釐地畝銀貳分伍釐玖毫壹絲叄忽
貳微壹纖壹沙叄塵柒渺捌漠肆埃共徵銀陸千陸

百陸拾伍兩肆錢捌分壹釐捌毫叁忽壹纖陸沙肆
塵貳漠
荒地貳拾捌頃伍拾肆畝叁分陸釐柒毫每畝起派
荒白銀貳分捌釐柒毫伍絲共徵銀捌拾貳兩零陸
分貳釐伍毫伍絲壹忽貳微伍纖
山叁千捌百零陸頃肆拾叁畝捌分玖釐貳毫每畝
起派本色漕南米叁合捌勺柒抄柒撮柒圭貳粟叁
粒伍顆陸黍共徵本色米壹千肆百柒拾陸石叁升
壹合柒勺捌抄捌撮貳圭柒粟伍粒叁顆玖黍每畝
起派稅糧條編并玖釐地畝銀伍釐肆毫柒絲貳忽

肆微柒纖貳沙壹塵肆渺肆漠壹埃共徵銀貳千捌
拾叁兩零陸分叁釐玖絲伍忽柒微玖纖柒沙壹塵
叁渺捌漠
塘肆百貳拾柒頃柒畝壹分伍釐陸毫每畝起派本
色漕南米陸合肆勺陸抄貳撮捌圭柒粟貳粒陸顆
共徵本色米貳百柒拾陸石壹升玖勺捌撮叁圭玖
粟壹粒捌顆肆黍每畝起派稅糧條編幷玖釐地畝
銀捌釐柒毫肆忽壹微貳纖貳塵肆渺貳埃共徵銀
叁百柒拾壹兩柒錢貳分捌釐貳毫貳絲玖微肆纖
伍塵伍渺壹漠

蘆蕩草場貳百叁拾叁頃叁拾捌畝貳分貳毫每畝
起派本色漕南米陸合肆勺陸抄貳撮捌圭柒粟貳
粒陸顆共徵本色米壹百伍拾石捌斗叁升壹合捌
勺貳抄陸撮貳圭陸粟玖粒叁顆玖黍每畝起派稅
糧條編并玖釐地畝銀捌釐柒毫肆忽壹微貳纖貳
塵肆渺貳埃共徵銀貳百零叁兩壹錢叁分捌釐伍
毫壹絲陸忽叁微玖纖捌沙陸塵肆渺貳漠
以上本縣田地山塘蘆蕩草場各科則不等照起存
錢糧實數驗派共徵稅糧條編荒白并玖釐地畝銀
伍萬叁千肆百柒拾兩貳錢柒釐壹毫玖絲伍忽貳

徵玖織柒塵捌渺柒漠
內除優免鄉紳舉貢生員吏承等户銀壹百貳拾陸
兩柒錢捌分陸釐陸毫貳絲捌忽肆微伍纖貳沙捌
渺柒漠照得優免壹項案准部文不免起解各部正供止免存留雜辦差徭錢糧但紳衿雜職間加陞遷事故逐年增減不一今照現在確數開載如有消長該縣預詳院司于每年派糧易知由单內再爲增減報部查考續于順治十五年四月內准部議停免改解户部充餉
實徵稅糧條編荒白并地畝銀伍萬叁千叁百肆拾
叁兩肆錢貳分伍毫陸絲陸忽捌微叁纖捌沙柒塵
實徵本色漕南孤貧米豆叁萬捌千捌百伍拾玖石
捌斗伍合壹勺貳抄

一縣人丁大總

原額人丁肆萬陸千壹百肆拾捌丁於順治五年審增人丁伍拾陸丁原額審增共人丁肆萬陸千貳百零肆丁每丁一例徵銀壹錢叁分捌釐共徵銀陸千叁百柒拾陸兩壹錢伍分貳釐內除鄉紳舉貢生員吏承等戶優免人丁玖百玖拾陸丁共免銀壹百叁拾柒兩肆錢肆分捌釐於順治十五年四月內准部文止免鄉紳舉貢生員本身壹丁實免銀柒拾壹兩捌錢玖分捌釐餘丁并吏承不免銀陸拾伍兩伍錢伍分解戶部充餉

實在當差人丁肆萬伍千貳百零捌丁共徵銀陸千貳百叁拾捌兩柒錢零肆釐

一縣田地人丁大總
丁田共實徵夏稅秋糧地畝條編折色銀伍萬玖千伍百捌拾貳兩壹錢貳分肆釐伍毫陸絲陸忽捌微叁纖捌沙柒塵
夏稅銀壹千玖拾柒兩捌錢捌分伍絲內除本色銀叁百陸拾兩叁錢叁分伍釐伍毫叁絲柒忽伍微折色銀柒百叁拾柒兩伍錢肆分肆釐伍毫壹絲貳忽伍微
秋糧銀伍萬捌千陸百貳拾壹兩零肆分肆釐伍毫壹絲陸忽捌微叁纖捌沙柒塵

戶部本折銀壹萬捌千玖百叁拾壹兩捌錢零伍釐
柒毫玖絲陸忽貳微叁塵
禮部折色銀壹千零貳拾兩柒錢肆分壹釐伍毫
兵部折色銀陸千零貳拾貳兩肆錢
工部本折銀肆千貳百壹拾叁兩壹錢壹分壹釐捌
毫
鋪墊銀肆拾陸兩叁錢玖分伍釐
四部本折水脚綱司解費等銀壹千玖拾貳兩肆錢
壹分玖釐貳毫玖絲捌忽壹纖壹沙玖漠
輕齎等銀叁千捌百壹拾柒兩陸分肆釐捌毫柒忽

肆微
本色蓆木板片等銀肆拾玖兩叁錢肆分貳釐貳毫
叁絲
改解南省折色并本色米豆項下綱司水脚門籌等
銀肆千玖百捌拾柒兩陸錢玖分貳釐肆毫壹忽叁
微陸纖
驛站銀柒千捌百伍拾壹兩玖錢玖分捌釐肆絲捌
忽
兵餉銀壹千玖百肆拾兩柒錢叁分壹毫玖絲壹微
捌纖陸沙貳塵叁渺

各衙門銀柒拾叁兩伍錢貳分壹釐叁毫玖絲貳忽

經費銀貳千陸百玖拾柒兩玖錢伍分捌釐肆毫貳絲貳忽肆微

存留支給銀叁千玖百肆拾肆兩玖錢貳分玖釐貳絲肆忽陸微

裁省解部銀貳千捌百玖拾貳兩零壹分肆釐陸毫伍絲陸忽陸微捌纖壹沙壹塵陸渺壹漠

外優免丁糧二項解部銀壹百玖拾貳兩叁錢叁分陸釐陸毫貳絲捌忽肆微伍纖貳沙捌渺柒漠

實徵本色漕南等米豆叁萬捌千捌百伍拾玖石捌

斗伍合壹勺貳抄
本色漕糧正耗米叁萬叁千叁百陸拾柒石伍斗
本色留充本省兵馬米肆千陸百玖拾伍石捌斗肆
升伍合壹勺貳抄豆伍百柒拾叁石貳斗陸升
本色存留孤貧米貳百貳拾叁石貳斗
外不在田畝人丁派徵雜項出辦
兵部項下
牧馬草場田地山塘共叁百陸拾玖頃肆拾貳畝捌
分柒毫共徵租銀伍百柒拾陸兩捌錢貳分貳釐水
脚銀伍兩柒錢陸分捌釐貳毫貳絲

工部項下
工部輪班人匠伍百玖拾玖名每名徵銀肆錢伍分
共徵銀貳百陸拾玖兩伍錢伍分查此項于順治二年准部文免編續
于順治十五年六月內准部覆　題奉
旨照舊徵解
學田
本縣學田捌項柒拾畝貳釐肆毫共徵租銀貳百零
貳兩捌錢伍分柒釐柒毫查此項照舊催徵聽候學院項下支取刊刷考卷
及賑濟本縣貧生之用
本縣蘆課額銀壹千陸百壹拾叁兩壹錢零
雜辦內減徵寬民課程款項

本縣門攤舖戸本色鈔玖萬貳千柒拾叁貫肆百叁拾陸文共徵稅銀壹百壹拾柒兩伍錢貳分玖釐捌毫肆絲捌忽水脚銀壹兩壹錢柒分伍釐貳毫此項銀兩于天啓元年奉文免編于民

戸口

戸貳萬玖千捌百捌拾貳戸

口男婦軍匠共壹拾貳萬壹千貳百伍拾叁口

溧陽

一縣田畝大總

原額田地山塘共壹萬陸千肆百柒拾頃肆畝玖分

捌釐貳毫

徵田玖千伍百陸拾伍頃玖拾畝叁分玖釐又天界寺改徵田貳千壹拾柒畝俱每畝起派本色漕南米肆升玖合貳勺貳抄叁圭叁粟陸顆叁黍共徵本色米肆萬柒千壹百捌拾貳石玖斗柒升貳合陸勺捌抄貳撮貳圭陸粟肆粒肆顆玖黍每畝起派稅糧條編并玖釐地畝銀伍分柒毫肆絲貳忽玖微玖纖陸沙玖塵叁渺柒漠共徵銀肆萬捌千陸百肆拾貳兩陸錢壹分壹釐捌毫伍絲肆忽陸微伍沙壹塵壹渺伍漠

沙荒田壹百陸拾頃壹拾陸畝每畝起派本色漕𥺶
米肆升肆合陸勺叁抄柒撮伍圭捌粟玖粒叁顆叁
黍共徵本色米柒百壹拾肆石玖斗壹升伍合陸勺
叁抄柒圭玖粒貳顆捌黍每畝起派稅糧條編并玖
釐地畝銀肆分柒釐柒毫陸絲捌忽肆微捌纖伍沙
貳塵肆渺壹漠共徵銀柒百陸拾伍兩陸分伍絲玖
忽柒微壹纖玖沙柒塵伍渺伍漠
次荒田壹千伍百頃每畝起派本色漕南米貳升柒
合陸勺壹抄伍撮玖圭柒粟捌粒柒顆玖黍共徵本
色米肆千壹百肆拾貳石叁斗玖升陸合捌勺壹抄

捌撮伍圭每畝起派稅糧條編并玖釐地畝銀叁分
柒釐貳毫貳絲貳微玖纖捌沙玖塵肆渺壹漠共徵
銀伍千伍百捌兩零肆分肆釐捌毫肆絲壹忽壹微
貳纖肆沙肆塵伍渺肆漠
全荒田壹百肆頃壹拾捌畝貳分伍釐每畝起派荒
白銀壹分捌釐柒毫玖絲伍忽陸微肆纖伍沙共徵
荒白銀壹百玖拾伍兩捌錢壹分柒釐柒毫貳絲捌
忽伍微貳纖壹沙貳塵伍渺
徵地壹千伍百壹拾壹頃捌拾伍畝壹分伍釐又天
界寺改徵地柒拾畝肆分玖釐捌毫俱每畝起派本

色漕南米壹升玖合叁抄壹撮玖圭貳粟捌粒貳顆
貳黍共徵本色米貳千捌百柒拾捌石陸斗捌升陸
合陸勺叁抄伍撮陸圭伍粒伍顆柒黍每畝起派稅
糧條編并玖釐地畝銀壹分玖釐陸毫貳絲陸微玖
纖肆沙伍塵玖渺伍漠共徵銀貳千玖百陸拾柒兩
柒錢肆分捌毫柒絲伍忽貳微壹纖貳沙柒塵陸渺
壹漠
山塘叁千陸百柒頃柒畝陸分玖釐肆毫每畝起派
本色漕南米叁合壹勺柒抄叁撮陸圭陸粟陸粒壹
顆玖黍共徵本色米壹千壹百肆拾肆石柒斗陸升

伍合捌勺壹抄貳撮玖圭貳粟陸顆陸黍每畝起派稅糧條編并玖釐地畝銀叁釐貳毫柒絲壹忽捌微肆纖伍沙捌塵叁渺柒漠共徵銀壹千壹百捌拾兩壹錢柒分玖釐玖毫陸絲柒忽玖沙陸塵柒渺陸漠

以上本縣田地山塘各科則不等照起存錢糧實數驗派共徵稅糧條編荒白并玖釐地畝銀伍萬玖千貳百伍拾玖兩肆錢伍分伍釐叁毫貳絲陸忽壹微玖纖叁沙壹渺壹漠

內除優免鄉紳舉貢生員雜職等戶銀壹百貳拾壹兩捌錢玖分柒釐捌毫叁絲伍忽貳微柒纖柒沙玖

塵肆渺柒漠照得優免一項案准部文不免起解各部正供止免存留雜辦差徭錢糧但紳衿雜職間有陞遷事故逐年增減不一今照現在確數開載如有消長該縣預詳院司于每年派糧易知由单內再爲增減報部查考續于順治十五年四月內准部文停免改解戶部

實徵稅糧條編并玖釐地畝銀伍萬玖千壹百叁拾柒兩伍錢伍分柒釐肆毫玖絲玖微壹纖伍沙陸渺肆漠

實徵本色漕南孤貧米豆伍萬陸千零陸拾叁石柒斗叁升柒合伍勺捌抄

一縣人丁大總

原額人丁肆萬肆千叁拾柒丁捌分柒釐于順治五

年審增人丁捌千柒百零玖丁肆分捌釐原額審增共人丁伍萬貳千柒百肆拾柒丁叁分伍釐每丁一例派徵銀壹錢共徵銀伍千貳百柒拾肆兩柒錢叁分伍釐內除鄉紳舉貢生員吏承等戶優免人丁玖百柒拾伍丁共免銀玖拾柒兩伍錢於順治十五年四月內准部議止免鄉紳舉貢生員本身壹丁實免銀伍拾貳兩伍錢餘丁并吏承不免銀肆拾伍兩改解戶部充餉

實在當差人丁伍萬壹千柒百柒拾貳丁叁分伍釐

共徵銀伍千壹百柒拾柒兩叁錢叁分伍釐

一縣田畝人丁大總

丁田共實徵夏稅秋糧地畝條編折色銀陸萬肆千

叁百壹拾肆兩柒錢玖分貳釐肆毫玖絲玖微壹纖
伍沙陸渺肆漠
夏稅銀壹千柒拾兩叁錢柒分柒釐伍毫貳絲捌忽
柒微伍纖內折色銀柒百肆拾兩玖錢壹分陸釐玖
毫玖絲叁忽柒微伍纖本色銀叁百叁拾陸兩肆錢
陸分伍毫叁絲伍忽
秋糧銀陸萬叁千貳百叁拾柒兩肆錢壹分肆釐玖
毫陸絲貳忽壹微陸纖伍沙陸渺肆漠
戶部本折銀貳萬貳千貳拾伍兩捌錢捌分肆毫壹
絲叁忽貳微肆纖柒沙

禮部折色銀柒百柒拾貳兩叁錢肆分捌釐
兵部折色銀陸千貳百肆拾肆兩伍錢玖分壹釐柒
絲
工部折色銀伍千伍百柒拾陸兩柒錢陸分肆釐捌
毫
鋪墊銀伍拾肆兩陸錢伍分柒釐
四部本折水脚綱司解費等銀壹千壹百捌拾貳兩
柒錢肆分貳釐零伍絲壹忽陸微貳纖貳沙肆塵壹
渺
輕齎等銀伍千叁百肆拾柒兩壹錢伍分陸釐陸毫

伍絲陸忽
本色蔴木板片等銀陸拾玖兩壹錢貳分壹釐貳毫
改解南省折色并本色米豆綱司水脚門攤等銀柒
千肆百玖拾玖兩柒分柒釐柒毫貳絲玖忽貳微伍
纖
驛站銀伍千壹百玖拾叁兩貳錢叁分肆釐叁毫
兵餉銀貳千肆百玖拾叁兩伍錢叁分壹釐柒毫柒
絲捌忽叁微捌纖肆沙肆塵玖渺貳漠
各衙門銀柒百叁拾捌兩柒錢伍釐陸毫玖忽肆纖
經費銀貳千貳百貳拾伍兩捌錢叁分柒釐

存留支給銀貳千零壹拾玖兩陸錢陸分肆釐伍毫
壹絲肆忽陸微陸沙叁塵
裁省解部銀貳千陸百柒拾壹兩肆錢捌分叁毫陸
絲捌忽柒微陸纖肆沙捌塵陸渺貳漠
外優免丁糧二項解部銀壹百陸拾陸兩捌錢玖分
柒釐捌毫叁絲伍忽貳微柒纖柒沙玖
塵肆渺
柒漠
實徵本色漕南等米豆伍萬陸千陸拾叁石柒斗叁
升柒合伍勺捌抄
本色漕糧正耗米肆萬柒千柒百陸拾石伍斗玖升
本色留充本省兵馬米陸千陸百叁拾壹石貳斗玖

升貳合捌抄豆壹千叁百肆拾柒石捌斗伍升伍合

伍勺

本色存留孤貧米叁百貳拾肆石

外不在田畝人丁派徵雜項出辦

工部項下

工部輪班人匠陸拾玖名每名銀肆錢伍分共銀叁

拾壹兩零伍分此項于順治貳年准部文免編於順治十五年六月內奉

旨照舊徵

解工部

學田

本縣學田伍項肆拾捌畝壹分玖釐共徵銀租銀壹

百伍拾壹兩叁錢壹分貳釐查此項照舊徵催聽候學院項下支取刊刷考卷及賑濟本縣貧生之用

本縣蘆課額銀壹百陸拾捌兩伍錢壹分

戶口

戶貳萬壹千貳百伍拾伍戶

口男婦軍匠共壹拾肆萬伍千捌百伍拾柒口

溧水

一縣田畝大總

原額田地山塘溝壩壹萬伍百柒拾玖項捌拾壹畝

陸釐肆毫

徵田伍千伍百捌拾頃伍拾陸畝陸分叁釐陸毫肆
絲每畝起派本色南糧孤貧米陸合貳抄陸撮玖圭
肆粟伍粒肆顆柒黍共徵米叁千叁百陸拾捌石壹
斗玖升捌合肆勺柒抄貳撮陸圭捌粟伍粒捌顆壹
黍每畝起派稅糧條編并九釐地畝銀柒分伍釐陸
毫貳忽柒微玖纖叁沙玖塵陸渺壹漠共徵銀肆萬
貳千貳百伍拾壹兩壹錢貳分肆毫肆絲捌忽柒微
柒纖伍沙貳塵貳渺叁漠
荒田壹百玖拾肆頃貳拾肆畝肆分叁釐每畝起派
荒白銀壹分伍釐玖毫柒絲共徵荒白銀叁百壹拾

兩貳錢捌釐壹毫肆絲柒忽壹微
廢田肆拾捌頃貳拾玖畝捌分叁釐捌毫每畝起派
荒白銀伍釐叁毫叁絲共徵荒白銀貳拾伍兩柒錢
肆分叁釐叁絲陸忽伍微肆纖
湖灘草塲田壹拾陸頃肆拾柒畝肆分陸釐伍毫每
畝起派荒白銀叁釐貳毫共徵荒白銀伍兩貳錢柒
分壹釐捌毫捌絲捌忽
徵地壹千肆百捌拾柒頃肆拾捌畝陸分肆釐玖毫
陸絲每畝起派本色南糧孤貧米壹合玖勺伍抄肆
撮陸圭伍粟貳粒貳顆玖黍共徵米貳百玖拾石

斗伍升壹合捌勺捌抄捌撮肆圭柒粒捌顆玖黍每
畝起派稅糧條編并玖釐地畝銀貳分肆釐伍毫壹
絲捌忽叁微肆纖肆沙貳塵陸渺玖漠共徵銀叁千
陸百肆拾柒兩柒分陸毫肆微伍纖壹沙貳塵陸渺
肆漠
荒地伍拾捌頃壹拾捌畝陸釐叁毫每畝起派本色
南糧孤貧米玖勺柒抄柒撮叁圭貳粟陸粒壹顆肆
黍共徵米伍石陸斗捌升陸合壹勺肆抄伍撮柒粟
玖粒捌顆玖黍每畝起派稅糧條編并玖釐地畝銀
壹分貳釐貳毫伍絲玖忽壹微柒纖貳沙壹塵叁渺

肆漠共徵銀柒拾壹兩叁錢貳分肆釐陸毫叁絲伍
忽捌微陸沙伍塵伍渺柒漠
山塘叁千壹百伍拾頃柒拾壹畝伍分貳釐捌毫每
畝起派本色南糧孤貧米伍勺肆抄肆撮肆圭伍粟
捌粒伍顆玖黍共徵米壹百柒拾壹石伍斗肆升叁
合肆勺肆圭叁粟柒粒捌顆捌黍每畝起派稅糧條
編并玖釐地畝銀陸釐捌毫貳絲玖忽肆微陸纖壹
沙捌塵貳渺捌漠共徵銀貳千壹百伍拾壹兩柒錢
陸分捌釐玖毫柒絲叁忽肆微壹纖陸沙柒塵柒渺
陸漠

溝壩叁拾伍頃捌拾肆畝肆分伍釐肆毫每畝起派
本色南糧孤貧米貳勺柒抄貳撮貳圭貳粟玖粒叁
顆共徵米玖斗柒升伍合柒勺玖抄叁撮叁圭捌粟
捌粒伍顆叁忝每畝起派稅糧條編并玖釐地畝銀
叁釐肆毫壹絲肆忽柒微叁纖玖塵壹渺肆漠共徵
銀壹拾貳兩貳錢叁分玖釐玖毫肆絲伍忽捌微捌
纖貳沙柒塵陸渺貳漠

以上本縣田地山塘溝壩各科則不等照起存錢糧
實數驗派共徵稅糧條編荒白并玖釐地畝銀肆萬
捌千肆百柒拾肆兩柒錢肆分柒釐陸毫柒絲伍忽

玖微柒纖貳沙伍塵捌渺貳漠內除優免鄉紳舉貢
生員吏承等戶銀捌拾肆兩玖錢壹分壹釐捌毫壹
絲捌忽叁微壹纖捌沙肆塵叁渺捌漠　照得優免一項案惟部文
不免起解各部正供止免存縣雜辦差徭錢糧但紳
衿雜職間有陞遷事故逐年增減不一今照現在確
數開載如有消長該縣預詳　院司於每年派糧易
知由單內再爲增減報部查考續于順治十五年四
月內准部議停免
改解戶部充餉
實徵稅糧條編并玖釐地畝銀肆萬捌千叁百捌拾
玖兩捌錢叁分伍釐捌毫伍絲柒忽陸微伍纖肆沙
壹塵肆渺肆漠
實徵南糧并孤貧本色米豆叁千捌百叁拾柒石壹

斗伍升伍合柒勺

一縣人丁大總

原額人丁壹萬玖千陸百零伍丁伍分於順治五年審增人丁貳百肆拾伍丁伍分原額審增共人丁壹萬玖千捌百伍拾壹丁每丁一例派徵銀貳錢共徵銀叁千玖百柒拾兩貳錢內除鄉紳舉貢生員吏承等戶優免人丁伍百玖拾柒丁共免銀壹百壹拾玖兩肆錢

于順治五年四月內准部文止免鄉紳舉貢生員本身壹丁餘丁并吏承不免外實免銀陸拾壹兩餘丁銀伍拾捌兩肆錢改解戶部充餉

實在當差人丁壹萬玖千貳百伍拾肆丁共徵銀叁

千捌百伍拾兩捌錢

一縣田地人丁大總

丁田共實徵夏稅秋糧地畝條編折色銀伍萬貳千貳百肆拾兩陸錢叁分伍釐捌毫伍絲柒忽陸微伍纖肆沙壹塵肆渺肆漠

夏稅銀伍百柒拾柒兩貳錢柒分貳釐叁毫伍絲捌忽柒微伍纖內本色銀貳百壹拾捌兩捌錢貳分壹釐玖毫陸絲伍忽折色銀叁百伍拾捌兩肆錢伍分叁毫玖絲叁忽柒微伍纖

秋糧銀伍萬壹千陸百陸拾叁兩叁錢陸分叁釐肆

毫玖絲捌忽玖微肆沙壹塵肆渺肆漠
戶部本折銀貳萬叁千玖百貳拾壹兩貳錢陸分[illegible]
釐玖毫捌絲玖忽肆微肆纖玖沙陸塵捌渺
禮部折色銀肆百貳拾玖兩捌錢貳分貳釐伍毫
兵部折色銀肆千伍百肆拾兩零壹分壹釐捌毫捌
絲
工部折色銀貳千捌百兩柒錢玖分叁釐
鋪墊銀貳拾玖兩肆錢叁分伍毫
肆部本折綱司水脚解費等銀壹千零伍拾壹兩伍
錢玖分玖釐柒毫玖忽捌微叁纖叁沙肆塵玖渺壹

漠
輕齎等銀貳千肆百玖拾陸兩玖錢伍分捌釐貳毫
貳忽肆微
本色蓆木板片等銀叁拾貳兩貳錢柒分柒釐肆毫
捌絲
改解南省折色并本色米豆綱司水脚門籌等銀貳
千叁百零肆兩貳分柒釐貳毫壹絲貳忽陸微伍纖
陸沙
驛站銀叁千伍百叁拾壹兩壹錢肆分肆釐叁毫伍
絲

兵餉銀叁千柒百玖拾玖兩玖錢肆分壹釐貳毫伍
忽柒微陸纖捌沙捌塵柒渺陸漠
各衙門銀壹百壹拾貳兩叁錢柒分柒釐壹毫貳絲
玖忽叁微柒纖貳沙
經費銀壹千玖百玖拾兩柒錢肆分零伍毫
存留支給銀貳千玖百玖拾叁兩玖錢柒分伍絲伍
忽
裁省解部銀貳千貳百零陸兩貳錢柒分伍釐柒毫
肆絲叁忽壹微柒纖肆沙玖渺柒漠
外優免丁糧二項解部銀壹百肆拾叁兩叁錢壹分
壹釐捌毫壹絲捌忽叁微壹纖捌沙肆

塵叁渺捌漠

實徵本色米豆叁千捌百叁拾柒石壹斗伍升伍合
柒勺

本色留充本省兵糧米貳千玖百捌拾柒石貳斗伍
升壹合壹勺豆伍百肆拾石叁斗肆合伍勺

本色孤貧米叁百零玖石陸斗

外不在田畝人丁派徵雜項出辦

牧馬草塲出辦

兵部牧馬草塲田地山塘壹百伍拾肆頃貳拾貳畝
捌分伍釐貳毫共徵銀肆拾叁兩貳錢貳分捌釐玖

壹捌絲叁微水脚銀肆錢叁分貳釐貳毫捌絲玖忽
微叁沙此項解布政司轉解兵部
寔戶出辦
工部都水司折色黃蔴貳千伍百伍拾叁觔貳兩每
觔折銀貳分叁釐共銀伍拾捌兩柒錢貳分壹釐捌
毫柒絲伍忽遇閏加蔴柒拾壹觔柒兩該銀壹兩陸
錢肆分叁釐陸絲貳忽伍微
工部都水司白蔴壹千玖百柒拾肆觔貳兩叁錢遇
閏加蔴伍拾捌觔捌兩陸錢內該叁分本色白蔴伍
百玖拾貳觔叁兩捌錢玖分每觔價銀叁分共銀壹

拾柒兩柒錢陸分柒釐貳毫玖絲叁忽柒微伍纖遇閏加蔴壹拾柒觔捌兩玖錢捌分共銀伍錢貳分陸釐捌毫叁絲柒忽伍微柒分折色白蔴壹千叁百捌拾壹觔壹拾肆兩肆錢壹分每觔折銀叁分共銀肆拾壹兩肆錢伍分柒釐壹絲捌忽柒微伍纖遇閏加蔴肆拾觔拾伍兩陸錢貳分共銀壹兩貳錢貳分玖釐貳毫捌絲柒忽伍微

工部都水司魚線膠壹百零肆觔貳兩捌錢肆分遇閏加膠貳觔拾貳兩陸錢肆分內該叁分本色魚線膠叁拾壹觔肆兩伍分貳釐每觔價銀捌分共銀貳

兩伍錢貳毫陸絲遇閏加膠拾叁兩叁錢玖分貳釐
該銀陸分陸釐玖毫陸絲柒分折色魚線膠柒拾貳
觔拾肆兩柒錢捌分捌釐每觔折銀捌分共銀伍兩
捌錢叁分叁釐玖毫肆絲遇加膠壹觔拾伍兩貳錢
肆分捌釐該銀壹錢伍分陸釐貳毫肆絲此項原載全書蘇料
銀壹百貳拾叁兩肆錢玖分壹釐柒毫伍絲貳忽捌
微微柒纖伍塵水脚銀壹兩貳錢叁分肆釐玖毫壹絲
柒忽伍微於順治十一年四月內准工部咨開覆查
冊內開載錢糧項款數目此本部印冊皆多寡參差
不一從來錢糧有一定之規似此額數不符完欠最
難稽核題 請自十一年爲始將本折錢糧項款數
目逐一開列須發該省永爲定例遵行在案再照以
上本色自蘇魚線膠貳項先於順治九年十月內准
戸部咨開已經具 題奉
旨各項本色責成布政司每年於一月之前確查時值

據實估定申報督撫咨部查核一面徑行所屬州縣
照估定時價徵銀解交藩司選委職官領銀採買物
料裝運解部今新奉
俞旨本色顏料各項令各屬自行採買徑解內部已遵
行該州縣辦解至賠時增價逐年預先報明另編入
將舊編銀數照舊造入其不敷銀兩遵照今定時價
辦
解
漁課鈔銀伍兩貳錢伍分柒釐伍毫伍絲貳忽貳微
遇閏加銀肆錢叁分捌釐壹毫貳絲玖忽叁微陸纖
此項銀兩赴府掛號轉
解布政司留充南餉
以上漁戶辦解自工部折色黃蔴起至漁課止計肆
欵共銀壹百叁拾壹兩伍錢叁分柒釐玖毫叁絲玖
忽柒微遇閏加銀肆兩零陸分伍毫壹絲陸忽捌[illegible]

陸織

工部班匠出辦

工部輪班人匠貳拾柒名每名銀肆錢伍分共銀壹拾貳兩壹錢伍分水脚銀壹錢貳分壹釐伍毫此項于順治二年准部文免編順治十五年六月內奉旨照舊徵解

學田

本縣學田肆頃柒拾玖畝陸分肆釐叁毫壹絲共徵租銀陸拾貳兩玖分玖釐肆毫此項照舊催徵聽候學院支取刊刷考卷及賑濟本縣貧生之用

蘆課

本縣蘆課額銀叁拾叁兩壹錢伍分

田地內減徵寬民欵項幷本色漕糧免耗米數

京倉正兌免耗米肆千玖百叁拾陸石捌斗

改兌淮安府常盈倉免耗米壹千肆拾玖石柒斗

雜辦內減徵寬民課程欵項

本縣額徵本色鈔貳千柒百壹拾壹貫壹千玖百壹拾伍文銅錢伍千肆百壹拾捌文折銀壹拾兩貳錢柒分叁釐玖毫陸絲遇閏加鈔壹百捌拾壹貫銅錢叁百柒拾玖文柒分折銀捌錢玖分玖釐伍毫柒絲捌忽伍微肆塵于官房租銀內徵解查此項于順三年准

訂正經制改編前款南餉項下
田畝徵解共本款免派于民

戶口

戶壹萬伍千伍百肆拾戶
口男婦軍匠共柒萬捌千叁百叁拾伍口

高淳

一縣田畝大總

原額田地山塘草塲柳墩等項共柒千叁百叁拾玖
頃陸拾陸畝捌分伍釐壹毫
徵田肆千肆百柒拾伍頃玖拾柒畝陸分每畝起派
本色南糧孤貧米肆合壹抄伍圭肆粟捌顆共徵本

色米壹千柒百玖拾伍石壹斗捌合肆勺叁抄伍撮
柒圭玖粟柒粒肆顆貳黍每畝起派稅糧條編荒白
并玖釐地畝銀捌分伍毫叁忽柒微壹纖玖沙叁塵
共徵銀叁萬陸千叁拾叁兩貳錢捌分壹釐伍毫伍
絲肆沙柒塵陸漠
荒田陸拾貳頃肆拾畝玖釐貳毫每畝起派本色南
糧孤貧米肆勺陸抄陸撮叁圭肆粟壹粒玖顆伍黍
其徵米貳石玖斗壹升壹抄陸撮陸圭玖粟壹粒肆
顆叁黍每畝起派稅糧條編并玖釐地畝銀玖釐壹
毫叁絲捌纖叁沙陸塵肆渺共徵銀伍拾陸兩玖錢

柒分貳釐伍毫陸絲壹忽捌微柒纖捌沙捌塵

徵地柒百伍拾玖頃柒拾陸畝肆分陸釐叁毫每畝起派本色南糧孤貧米壹合壹勺陸抄伍撮捌圭伍粟肆粒捌顆捌黍共徵本色米捌拾捌石伍斗柒升柒合伍勺叁抄叁圭捌粟壹粒陸顆貳黍每畝起派稅糧條編并玖釐地畝銀貳分貳釐捌毫貳絲伍忽貳微玖沙玖渺玖漠共徵銀壹千柒百叁拾肆兩壹錢柒分捌釐陸毫伍絲肆忽伍微柒纖柒沙肆塵叁渺陸漠

丹陽湖熟地壹拾貳頃玖拾叁畝陸分柒釐伍毫每

畝起派本色南糧孤貧米伍勺伍抄玖撮陸圭壹粟叁顆肆黍共徵本色米柒斗貳升叁合玖勺伍抄叁撮玖圭壹粟壹粒伍顆柒黍每畝起派稅糧條編并玖釐地畝銀壹分玖毫伍絲陸忽壹微叁塵陸渺柒漠共徵銀壹拾肆兩壹錢柒分叁釐陸毫叁絲叁忽壹微肆纖貳沙玖塵伍渺壹漠

丹陽湖象草場地貳百肆拾壹頃陸拾柒畝伍分伍釐叁毫每畝起派本色南糧孤貧米貳勺叁抄叁撮[illegible]圭肆粟玖顆柒黍共徵本色米伍石陸斗叁升[illegible]合壹勺柒抄壹撮玖圭叁粟伍粒肆黍每畝起派

糧條編并玖釐地畝銀肆釐伍毫陸絲伍忽肆纖壹
沙捌塵貳渺共徵銀壹百壹拾兩叁錢貳分伍釐捌
毫玖絲壹微貳纖柒沙貳塵叁渺叁漠
山塘柳墩壹千柒百捌拾陸頃玖拾壹畝肆分陸釐
捌毫每畝起派本色南糧孤貧米壹勺捌抄陸撮伍
圭叁粟陸粒柒顆捌黍共徵本色米叁拾叁石叁斗
叁升貳合伍勺叁抄壹撮貳圭捌粟貳粒玖顆貳黍
每畝起派稅糧條編并玖釐地畝銀叁釐陸毫伍絲
貳忽叁纖叁沙肆塵伍渺陸漠共徵銀陸百伍拾貳
兩伍錢捌分柒釐貳毫壹絲玖忽肆微玖沙壹塵陸

渺叁漠

以上本縣田地山塘草蕩柳墩各科則不等照起存錢糧實數驗派共徵稅糧條編荒白并玖釐地畝銀叁萬捌千陸百壹兩伍錢壹分玖釐伍毫玖忽壹微肆纖貳塵捌渺玖漠

內除優免鄉紳舉貢生員吏承等戶銀柒拾肆兩陸錢壹分叁釐壹毫捌絲壹忽伍微柒纖貳沙貳塵陸渺壹漠 照得優免一項案准部文不免起解各部正供止免存留雜辦差徭錢糧但紳衿雜職[illegible]有陞遷事故逐年增減不一今照現在確數開載[illegible]有消長該縣預詳院司于每年派糧易知由单內[illegible]爲增減報部查考續于順治十五年四月內准部議停免改解戶部

實徵稅糧條編荒白并玖釐地畝銀叁萬捌千伍百
貳拾陸兩玖錢陸釐叁毫貳絲柒忽伍微陸纖捌沙
貳渺捌漠
實徵本色南糧孤貧米豆壹千玖百貳拾陸石貳斗
捌升柒合陸勺肆杪
一縣人丁大總
原額人丁柒千伍百壹拾玖丁于順治伍年審增人
丁壹百丁原額審增共人丁柒千陸百壹拾玖丁每
丁一例徵銀壹錢伍分共徵銀壹千壹百肆拾貳兩
捌錢伍分內除鄉紳舉貢生員吏承等戶優免人丁

柒百壹拾貳丁共免銀壹百陸兩捌錢於順治十五年肆月內准
部文止免鄉紳舉貢生員本身壹丁實免銀伍拾陸
兩柒錢外餘人丁并吏承不免銀伍拾兩零壹錢收
解戶
部
實在當差人丁陸千玖百柒十丁共徵銀壹千叁拾陸
兩伍分

一縣田畝人丁大總
丁田共實徵夏稅秋糧地畝條編折色銀叁萬玖千
伍百陸拾貳兩玖錢伍分陸釐叁毫貳絲柒忽伍微
陸纖捌沙貳渺捌漠
夏稅銀伍百柒拾陸兩叁錢零捌釐玖絲壹忽貳微

伍纖內本色銀壹百捌拾兩叁分伍釐叁毫玖絲[illegible]
忽伍微折色銀叁百玖拾陸兩貳錢柒分貳釐陸毫
玖絲叁忽柒微伍纖
秋糧銀叁萬捌千玖百捌拾陸兩陸錢肆分捌釐貳
毫叁絲陸忽叁微壹纖捌沙貳渺捌漠
戶部本折銀貳萬貳千柒百壹拾伍兩叁錢柒分捌
釐伍毫伍絲柒忽肆微柒纖柒沙陸塵
禮部折色銀肆百捌拾肆兩伍錢伍分
兵部折色銀叁千肆百玖拾壹兩貳錢
工部折色銀壹千伍百玖拾兩伍錢貳釐肆毫柒絲

伍忽
鋪墊銀貳拾柒兩玖錢壹分壹釐柒毫伍絲
四部本折水脚綱司解費等銀玖百叁拾叁兩伍錢
伍分伍釐玖毫捌絲肆忽玖纖玖沙叁塵貳渺捌漠
改解南省折色并本色米豆項下綱司水脚門籌等
銀壹千壹百柒拾柒兩叁錢柒分肆釐叁絲伍忽壹
微伍纖伍沙貳塵
驛站項下夫馬共該銀壹千零陸拾伍兩伍錢
兵餉銀貳千伍百陸兩伍錢捌分玖釐玖毫叁絲捌
忽肆微貳纖捌塵伍渺肆漠

各衙門銀伍百玖拾玖兩玖錢玖分壹釐伍絲叁忽
叁微伍纖貳沙
經費銀壹千捌百壹兩柒分叁釐玖毫
存留支給銀壹千捌百陸拾兩玖錢壹分肆絲柒忽
玖微
裁省解部銀壹千叁百零捌兩玖錢壹分叁釐伍毫
捌絲陸忽壹微陸纖叁沙肆渺陸漠
外優免丁糧二項解部銀壹百貳拾肆兩柒錢壹分叁釐壹毫捌絲壹忽伍微柒纖貳沙貳塵陸渺壹漠
實徵本色南糧并孤貧米豆壹千玖百貳拾陸石貳

斗捌升柒合陸勺肆抄

本色留充本省兵馬米壹千柒拾玖石叁斗伍升柒合肆勺肆抄豆柒百肆拾陸石壹斗叁升貳勺

本色存留孤貧米壹百零捌斗

外不在田畝人丁派徵雜項出辦

兵部項下

兵部民牧馬草塲田地塘溝共伍拾陸頃陸拾玖畝捌分叁釐叁毫共該銀貳百柒拾貳兩肆錢肆分捌釐此項原係額外歲徵于順治十年據該縣申稱田地塘溝被水患坍沒成湖具詳布政司轉詳撫按二院批允田地塘溝豁免其銀載入十年會計冊徵續于順治十四年玖月內據布政司信牌開奉

撫院張批據高淳縣呈詳爲横征事奉批馬場租[illegible]
餉係額外錢糧不應載入會計累民代輸仰布政司
照舊出編責令得業人完納繳
等因在案仍令佃戶自行輸納

工部項下漁戶出辦

工部都水司折色黄蔴肆千零玖觔壹拾叁兩每觔
折銀貳分叁釐共折銀玖拾貳兩貳錢貳分伍釐陸
毫捌絲柒忽伍微遇閏加蔴壹百拾貳觔叁兩叁錢
該銀貳兩伍錢捌分柒毫肆絲叁忽柒微伍纖
折色翎毛壹拾貳萬叁千叁百根每根折價銀伍毫
共折銀陸拾壹兩陸錢伍分遇閏加翎毛叁千玖百
叁拾肆根共銀壹兩玖錢陸分柒釐

折色碎翎毛柒百零陸根每根折價銀伍毫共折銀
叁錢伍分叁釐
白蘇叁千壹百觔拾壹兩遇閏加蘇玖拾貳觔貳錢
內該叁分本色白蘇玖百叁拾觔零叁兩價銀貳拾
柒兩玖錢陸釐壹毫捌絲柒忽伍微遇閏加蘇貳拾
柒觔玖兩陸錢陸分該銀捌錢貳分捌釐壹毫壹絲
貳忽伍微柒分折色白蘇貳千壹百柒拾觔零柒兩
柒錢每觔折銀叁分共折銀陸拾伍兩壹錢壹分肆
釐肆毫叁絲柒忽伍微遇閏加蘇陸拾肆觔陸兩伍
錢肆分該銀壹兩玖錢叁分貳釐貳毫陸絲貳忽伍

獎

魚線膠壹百陸拾叁觔拾兩遇閏加膠肆觔陸兩壹

錢陸分內該叁分本色魚線膠肆拾玖觔壹兩肆錢

每觔價銀捌分該銀叁兩玖錢貳分柒釐遇閏加膠

壹觔伍兩肆分捌釐該銀壹錢伍釐貳毫肆絲柒分

折色魚線膠壹百壹拾肆觔捌兩陸錢每觔折銀捌

分共折銀玖兩壹錢陸分叁釐遇閏加膠叁觔壹兩

壹錢壹分壹釐該銀貳錢肆分伍釐伍毫陸絲

班匠出辦

輪班人匠陸拾柒名每名銀肆錢伍分共銀叁拾兩

壹錢伍分此項于順治二年准部文免編續于順治十五年六月內奉

旨照舊徵解工部

改解南省兵餉項下

漁戶出辦漁課鈔銀拾貳兩伍錢柒分伍釐此項原解南戶部今留充本省兵餉

原解南鑾駕庫修理改解本省兵餉銀伍拾玖兩伍錢玖分伍毫此項原解本庫修理今改解布政司留充本省兵餉

學田

本縣學田貳項壹拾貳畝叁分共徵租銀叁拾壹兩玖錢肆釐此項照舊催徵聽候學院項下支取刑刷考卷及賑濟本縣貧生之用

本縣蘆課額銀壹拾伍兩肆錢陸分

田畝內免編寬民欵項

本色漕糧 水兑耗米數

京倉兑運免耗米伍千貳百伍拾壹石陸斗

改兑進安常盈倉免耗米壹千壹百壹拾陸石叁斗

原解南各衛倉水兑免耗米肆百陸拾肆石伍斗伍

升捌勺

隨漕項下折色銀數

輕齎銀壹千柒百陸兩柒錢柒分水脚銀壹拾柒兩

陸分柒釐柒毫

楞木松板銀叁拾兩壹錢玖分陸釐柒毫
改兌項下貳升變易米銀叁拾柒兩貳錢壹分
隨糧壹升蘆蓆米銀捌拾貳兩貳錢伍分
正改兌壹分簟纜銀壹百陸拾捌兩伍錢水脚銀壹
兩陸錢捌分伍釐
溜夫工食銀壹百陸拾捌兩伍錢
陸升過江米銀陸百陸兩陸錢
雜辦內減徵寬民課程漁課欵項
本縣折色房屋酒醋鈔壹千貳百捌拾柒貫捌百柒
拾文每貫折銀陸毫共銀柒錢柒分貳釐柒毫貳

貳忽
本色窰治鈔壹百貳拾捌貫肆拾叁文銅錢貳千柒百叁拾貳文伍分遇閏加銀柒分叁毫柒絲錢伍百伍拾捌文
原解南鰣魚厰船網銀壹百壹拾兩肆錢鰣魚厰船網銀陸拾肆兩捌錢以上四項于順治三年奉招撫內院洪 訂正經剩改編前款南餉項下田畝徵解其城市鄉村店戶漁戶免編
戶口
戶壹萬壹千叁百陸拾戶
口男婦軍匠共伍萬玖千伍百柒拾玖口

江浦

一縣田地大總

原額田地山塘基塲水漾泥灘雜產共貳千叄百玖拾陸頃肆拾肆畝壹分伍釐貳絲陸忽貳微

徵田壹千叄百陸拾壹頃陸拾貳畝伍分壹釐陸毫柒絲肆忽伍微貳纖叄沙每畝起派本色漕南米叄升玖合柒勺伍抄叄撮貳圭伍粟陸粒貳顆伍黍共徵本色米伍千肆百壹拾貳石玖斗叄合肆勺陸抄肆圭壹粟玖粒貳顆玖黍每畝起派稅糧并玖釐地畝銀陸分肆釐柒毫肆絲伍微捌纖伍沙貳塵貳渺

捌漢共徵銀捌千捌百壹拾伍兩貳錢肆分壹釐貳絲貳微貳纖柒沙陸塵柒渺捌漢此項原額徵田壹千叁百柒拾捌項貳拾玖畝壹分捌釐叁毫肆絲肆忽伍微貳纖叁沙本縣張家圩災民童朱段等連名狀告本縣申詳分守道轉詳巡撫都院張批據張家圩先年開熟之田今亦坍沒其原祟四之米公議仍歸衆里完納本圩止納荒糧各復故舊既經該道覆勘無異如詳行繳等因在案內除張家圩廢荒田壹拾陸項陸拾陸畝陸分陸釐陸毫柒絲載入後按輸納錢糧外實編前數

張家圩廢荒田壹拾陸項陸拾陸畝陸分陸釐陸毫柒絲每畝起派本色漕南米柒合叁勺叁抄肆撮叁圭玖粟貳粒叁顆捌黍共徵本色米壹拾貳石貳斗貳升叁合玖勺捌抄柒撮貳圭玖粟伍粒捌顆每畝

起派稅糧條編并玖釐地畝銀壹分壹釐玖毫柒絲壹忽陸微壹沙柒塵貳渺貳漠共徵銀壹拾玖兩玖錢伍分貳釐陸毫陸絲玖忽伍微叁纖伍沙伍塵貳渺此項原係徵田內撥出輪納

滂荒田壹拾貳項壹拾柒畝叁分貳釐壹絲壹忽陸微柒纖柒沙每畝起派荒白銀貳分伍釐柒毫共徵銀叁拾壹兩貳錢捌分伍釐壹毫貳絲柒忽壹沙

高田壹項叁拾陸畝壹分捌釐捌毫每畝起派荒白銀壹分肆釐壹毫貳絲柒忽伍微共徵銀壹兩玖錢貳分叁釐玖毫玖絲伍忽玖微柒纖

餘地貳百柒拾伍頃陸拾柒畝捌分肆毫玖絲每畝
起派本色漕南米貳升壹合伍勺玖抄柒撮捌圭陸
粟肆粒伍顆伍黍共徵本色米伍百玖拾伍石肆斗
伍合柒勺壹抄陸撮貳圭貳粟捌粒貳顆叄黍每畝
起派稅糧條編幷玖釐地畝銀叄分伍釐貳毫伍絲
叄忽貳微叄纖壹沙伍塵柒漠共徵銀玖百柒拾壹
兩捌錢伍分肆釐貳毫捌忽貳微捌纖陸沙貳塵玖
渺玖漠
基地貳拾伍頃柒拾柒畝玖分柒釐貳毫捌忽每畝
起派本色漕南米壹升柒合貳勺伍抄肆撮叄圭叄

粟伍粒叁顆貳黍共徵本色米肆拾肆石肆斗捌升
壹合壹勺玖抄肆撮陸圭玖粟柒粒肆顆每畝起派
稅糧條編幷玖釐地畝銀貳分捌釐壹毫陸絲叁忽
肆微捌纖貳沙叁塵陸渺叁漠共徵銀柒拾貳兩陸
錢壹分壹釐叁毫捌絲叁忽柒微玖纖壹沙伍塵柒
渺玖漠
在鄉基地貳拾柒頃捌拾肆畝伍分柒釐每畝起派
本色漕南米捌合陸勺貳抄柒撮壹圭陸粟柒粒陸
顆陸黍共徵本色米貳拾肆石貳升貳合肆勺捌撮
柒圭叁粟玖粒肆顆肆黍每畝起派稅糧條編幷玖

釐地畝銀壹分肆釐捌絲壹忽柒微肆纖壹沙壹塵
捌渺壹漠共徵銀叁拾玖兩貳錢叁釐玖毫玖絲肆
忽貳微陸纖肆沙肆塵肆渺肆漠
涂地壹百柒拾頃柒畝每畝起派荒白銀壹分壹釐
柒毫捌絲伍忽玖微貳纖共徵荒白銀貳百兩肆錢
肆分叁釐壹毫肆絲壹忽肆微肆纖
低窪地伍頃壹拾壹畝肆分柒釐玖毫每畝起派荒
白銀陸釐柒毫貳絲共徵荒白銀叁兩肆錢肆分貳
釐貳毫伍絲叁忽陸微柒纖
山壹百柒拾伍頃壹拾玖畝柒分捌釐陸毫每畝起

派本色漕南米柒合叁勺叁抄肆撮叁圭玖粟貳粒
叁顆捌黍共徵本色米壹百貳拾捌石肆斗玖升陸
合玖勺捌抄肆撮捌圭玖粟叁粒壹顆柒黍每畝起
派稅糧條編幷玖釐地畝銀壹分壹釐玖毫柒絲壹
忽陸微壹沙柒塵貳渺壹漠共徵銀貳百玖兩柒錢
叁分玖釐玖毫貳微叁纖肆沙陸塵壹渺捌漠
荒山壹百陸拾陸頃貳拾陸畝貳分伍釐伍毫肆絲
貳忽每畝起派本色漕南米叁合陸勺陸抄柒撮壹
圭玖粟陸粒壹顆玖黍共徵本色米陸拾石玖斗柒
升壹合柒勺肆抄伍圭玖粒伍顆伍黍每畝起派稅

糧條編竏玖釐地畝銀伍釐玖毫捌絲伍忽捌微
塵陸渺共徵銀玖拾玖兩伍錢貳分壹釐肆毫伍絲
肆忽貳沙伍塵壹渺捌漠
塘玖拾陸頃壹分捌釐叁毫肆絲每畝起派本色漕
南米壹升肆合伍抄柒撮伍圭捌粟伍粒肆顆共徵
本色米壹百叁拾肆石玖斗伍升伍合叁勺玖抄柒
撮玖圭陸粒柒顆玖黍每畝起派稅糧條編竏玖釐
地畝銀貳分貳釐玖毫肆絲伍忽伍微陸纖玖沙玖
塵陸渺陸漠共徵銀貳百貳拾兩貳錢捌分壹釐陸
毫柒絲玖忽捌微捌纖玖沙陸塵柒渺貳漠

荒塘肆拾壹頃陸拾伍畝玖釐伍毫每畝起派本色漕南米柒合貳抄捌撮柒圭玖粟貳粒柒顆共徵本色米貳拾玖石貳斗柒升伍合伍勺捌抄玖撮叁圭壹粟叁顆叁黍每畝起派稅糧條編幷玖釐地畝銀壹分壹釐肆毫柒絲貳忽柒微捌纖肆沙玖塵捌渺叁漠共徵銀肆拾柒兩柒錢捌分伍釐貳毫叁絲玖忽叁微陸纖捌沙肆塵伍渺貳漠

水蕩泥灘貳拾壹頃壹畝叁分柒釐陸毫每畝起派荒白銀叁釐共徵銀陸兩叁錢肆釐壹毫貳絲捌忽

以上本縣田地山塘基塲水蕩泥灘各科則不等悉

起存錢糧實數驗派共徵稅糧條編荒白并玖釐地畝銀壹萬柒百叁拾玖兩伍錢玖分壹毫玖絲伍忽陸微捌纖壹沙柒塵柒渺伍漠內除優免鄉紳舉貢生員吏承等戶銀叁百零捌兩柒錢捌分肆釐貳毫伍絲玖忽壹微柒纖肆沙貳塵陸渺叁漠一照得優免項案准部文不免起解各部正供止免存留雜辦差徭錢糧但紳衿雜職間有陞遷事故逐年增減不一今照現在確數開載如有消長該縣預詳院司于每年派糧易知由单內再爲增減報部查考續于順治十五年四月內准部議停免改解戶部

實徵稅糧條編荒白并玖釐地畝銀壹萬肆百叁拾兩捌錢伍釐玖毫叁絲陸忽伍微柒沙伍塵壹渺貳

漢

實徵本色漕南米陸千肆百肆拾貳石柒斗叁升陸合肆勺捌抄

一縣人丁大總

原額人丁柒千伍百肆拾柒丁于順治伍年審增人丁叁拾捌丁原額審增共人丁柒千伍百捌拾伍丁每丁一例徵銀貳錢共銀壹千伍百壹拾柒兩內除鄉紳舉貢生員吏承等戶優免人丁肆百肆拾柒丁伍分共免銀捌拾玖兩伍錢於順治伍年四月內准部文止免鄉紳舉貢生員本身壹丁實免銀伍拾壹兩捌錢餘丁并吏承不免銀叁拾柒兩柒錢改解戶部

實該當差人丁柒千壹百叁拾柒丁伍分共徵銀壹
千肆百貳拾柒兩伍錢
丁田共實徵夏稅秋糧地畝條編折色銀壹萬壹千
捌百伍拾捌兩叁錢伍釐玖毫叁絲陸忽伍微柒沙
伍塵壹渺貳漠
夏稅本色銀肆兩叁錢柒分壹釐捌毫肆絲
秋糧銀壹萬壹千捌百伍拾叁兩玖錢叁分肆釐玖
絲陸忽伍微柒沙伍塵壹渺貳漠
戶部本折銀貳千伍百貳拾壹兩叁錢捌分捌釐捌
毫柒絲玖忽叁微貳纖柒沙捌塵貳渺貳漠

禮部折色銀陸拾肆兩貳錢伍分

兵部折色銀壹千肆百叁拾肆兩陸錢壹分伍釐捌毫肆絲

工部折色銀伍拾貳兩叁錢貳分叁釐貳毫

四部本折綱司水脚解費等銀壹百伍拾貳兩玖錢壹分玖釐伍毫肆絲伍忽柒纖玖沙捌塵叁渺肆漠

輕齎等銀柒百零陸兩玖錢壹分壹釐玖絲陸忽捌微

本色蓆木板片等銀玖兩壹錢叁分捌釐叁毫陸絲

改解南省折色銀捌百陸拾玖兩伍錢肆分壹毫柒

絲陸忽
驛站銀壹千貳百柒拾柒兩陸錢壹分伍釐陸毫叁
絲柒忽零捌纖柒沙壹塵
兵餉銀壹百伍拾捌兩零叁釐陸毫伍絲捌纖叁塵
壹渺伍漠
各衙門銀壹拾柒兩柒錢壹分肆釐伍毫肆絲玖忽
玖微捌纖肆沙
經費銀壹千肆百柒兩貳錢壹分肆釐壹毫叁絲柒
忽陸微
存留支給銀貳千叁百捌拾兩伍錢叁釐捌毫玖絲

叄徵叄纖

裁省解部銀捌百零陸兩壹錢陸分陸釐玖毫柒絲肆忽貳微壹纖捌沙肆塵肆渺壹漠

外優免丁糧二項解部銀叄百肆拾陸兩肆錢捌分肆釐貳毫伍絲玖忽壹微柒纖肆沙貳塵陸渺叄漠

實徵本色孤貧漕南米陸千肆百肆拾貳石柒斗叄升陸合肆勺捌抄

本色漕糧正耗米陸千壹百柒拾玖石玖斗

本色留充本省兵糧米貳百壹拾玖石陸斗叄升陸合肆勺捌抄

本色存留孤貧米肆拾叁石貳斗
外不在田畝人丁派徵雜項出辦
兵部項下
本縣民牧馬草塲田地壹拾陸頃陸拾畝柒分捌釐壹毫柒絲共徵租銀肆拾叁兩伍錢叁釐肆毫叁絲肆忽水脚銀肆錢叁分陸釐此項原編租銀肆拾壹兩捌分陸釐陸毫叁絲肆忽于順治叁年十月初三日據馬政道盧僉事新增租銀貳兩肆錢壹分陸釐捌毫原額新增共銀肆拾叁兩伍錢叁釐肆毫叁絲肆忽水脚銀肆錢叁分陸釐
工部項下
工部輪班人匠捌名每名銀肆錢伍分共銀叁兩陸

錢水脚銀叁分陸釐此項於順治二年准部文免派於順治十五年六月內奉
旨照舊徵解

解南省兵餉項下

本縣軍牧馬草塲田地溝灘叁拾壹頃叁拾貳畝玖分壹釐捌毫柒絲叁忽伍微肆纖陸沙共徵租銀壹百壹拾叁兩零玖分陸釐此項原解兵部改解本省兵餉原額田地溝灘共叁拾柒頃柒拾玖畝肆分玖釐陸毫貳絲伍忽徵租銀壹百貳拾捌兩貳錢伍分伍釐貳毫玖絲捌忽陸壹纖內陸續還過綿衣旗手金吾等衛納租田地灘陸頃肆拾陸畝伍分柒釐柒毫伍絲壹忽肆微纖肆沙共租銀壹拾伍兩壹錢伍分玖釐貳毫玖絲捌忽陸微壹纖實編前數

學田

本縣學田伍拾壹畝貳分壹釐捌毫壹絲共徵租銀壹拾叁兩玖分又清出東龍塘等處田捌項叁拾畝原徵租稻叁百陸拾石此項於萬曆二十六年據寧太道呈詳學校二院減除高崗荒白田租外實徵租稻叁百叁拾伍石肆斗伍升柒合陸勺肆抄每石折銀貳錢共銀陸拾柒兩玖分壹釐伍毫貳絲捌忽連前租二項共銀捌拾兩壹錢捌分壹釐伍毫貳絲捌忽逐年徵收聽候學院項下支取刑例考卷及賑濟本縣貧生之用

本縣蘆課額銀壹千陸百貳拾陸兩玖錢壹分

雜辦減徵寬民課程款項

本縣浦子口商稅本色鈔叁萬伍千玖百柒拾壹貫

遇閏加鈔貳千玖拾叁貫此項於天啓元年免編于民

折色鈔叁萬柒千肆百貳拾捌貫每貫折銅錢貳文
共錢柒萬肆千捌百伍拾陸文遇閏加鈔貳千捌拾
玖貫折銅錢肆千壹百柒拾捌文
酒醋折鈔壹千肆百伍拾柒貫每貫折銀陸毫共銀
捌錢柒分肆釐貳毫以上二項於順治三年奉招撫內院洪　訂正經制改編前南餉項下在于田畝徵解其城市鄉村酒戶香蠟鋪免派

戶口

戶貳千陸百伍拾戶
口男婦軍匠共壹萬肆千壹百捌拾肆口

六合

一縣田畝大總

原額田壹千叄頃貳拾柒畝玖分叄釐捌絲伍忽內徵田玖百壹拾壹頃肆拾玖畝貳分玖毫肆絲伍忽每畝起派本色漕南米貳升壹合肆勺玖抄壹撮捌粟玖粒玖顆伍黍共徵本色米壹千玖百拾捌石捌斗玖升柒合陸勺每畝起派漕糧條編并玖釐地畝銀玖分伍釐叄毫伍絲叄忽伍微叄纖貳沙共徵漕糧條編并玖釐地畝銀捌千陸百玖拾壹兩叄錢玖分玖釐伍絲玖忽捌微陸纖柒沙陸漠

軍馬田陸拾伍頃玖拾陸畝捌分貳釐壹毫肆絲每

畝起派條編銀壹分柒釐共徵銀壹百壹拾貳兩壹錢肆分伍釐玖毫陸絲叁忽捌微
撒餘田貳頃玖拾叁畝每畝起派條編銀陸分捌釐叁毫捌絲肆忽壹微肆纖伍沙共徵銀貳拾兩叁分陸釐伍毫伍絲叁忽壹微陸纖陸沙伍塵
荒白田貳拾貳頃捌拾捌畝玖分每畝起派荒白銀肆分肆釐共徵銀壹百兩柒錢壹分壹釐陸毫
以上本縣田地各科不等照起存錢糧實數驗派共徵稅糧條編荒白并玖釐地畝銀捌千玖百貳拾肆兩貳錢玖分叁釐壹毫柒絲陸忽捌微叁纖叁沙

塵陸漠內除優免鄉紳舉貢生員吏承等戶銀柒百伍拾貳兩叁錢伍分柒釐叁毫壹絲柒忽肆微玖纖壹沙貳塵柒渺柒漠照得優免一項案准部文不免起解各部正供止免存留雜辦差徭錢糧但紳衿雜職間有陞遷事故逐年增減不一今照現在確數開載如有消長該縣預詳院司于每年派糧易知由單內再爲增減報部考查續于順治十五年四月內准部議停免改解戶部

實徵稅糧條編荒白并玖釐地畝銀捌千壹百玖拾壹兩玖錢叁分伍釐捌毫伍絲玖忽叁微肆纖貳沙貳塵貳渺玖漠

實徵本色漕南米壹千玖百伍拾捌石捌斗玖升柒合陸勺

一縣人丁大總

原額人丁壹萬貳千叁百捌拾柒丁於順治五年審增人丁肆百陸拾陸丁原額新增共人丁壹萬貳千捌百伍拾叁丁每丁一則徵銀貳錢共徵銀貳千伍百柒拾兩陸錢內除鄉紳舉貢生員吏承等戶優免人丁伍百丁共免銀壹百兩於順治十五年四月內准部文止免鄉紳舉貢生員本身壹丁實免銀叁拾玖兩餘丁并吏承不免銀陸拾壹兩改解戶部

實在當差人丁壹萬貳千叁百伍拾叁丁共銀貳千肆百柒拾兩陸錢

丁田共實徵夏稅秋糧地畝條編折色銀壹萬陸百

陸拾貳兩伍錢叁分伍釐捌毫伍絲玖忽叁微肆纖
貳沙貳塵貳渺玖漠
夏税本色銀肆兩壹錢陸釐捌毫玖絲
秋糧銀壹萬陸百伍拾捌兩肆錢貳分捌釐玖毫陸
絲玖忽叁微肆纖貳沙貳塵貳渺玖漠
外商税餘鈔抵解銀貳百壹拾叁兩肆錢玖分貳釐
陸毫
户部本折銀壹千柒拾肆兩壹錢柒分伍釐玖毫壹
絲壹忽捌微貳纖捌沙陸塵
禮部折色銀陸拾肆兩貳錢伍分

兵部折色銀壹千柒百伍拾壹兩玖錢柒分玖釐貳
毫壹絲
工部折色銀伍拾貳兩叁錢貳分叁釐貳毫
四部本折水脚等銀壹百貳拾捌兩玖錢叁分貳釐
壹毫肆絲柒忽壹微伍纖肆沙捌塵伍渺捌漠
輕齎等銀貳百貳拾柒兩柒錢肆分捌釐陸毫玖絲
叁忽捌微
本色蓆木板片等銀貳兩陸錢玖分壹釐伍毫壹絲
收解南省折色銀叁百柒拾陸兩玖錢伍分肆釐肆
毫伍絲玖忽肆微捌纖

驛站銀壹千玖百柒拾柒兩柒錢捌分叁釐貳毫玖
絲捌忽
兵餉銀伍百玖拾玖兩壹錢貳分壹毫肆絲玖忽肆
微叁纖肆沙柒塵柒渺壹漠
各衙門銀壹拾玖兩玖錢玖分肆釐貳毫肆絲玖忽
玖微捌纖肆沙
經費銀壹千叁百肆拾玖兩柒錢貳分
存留支給銀貳千伍百捌拾伍兩肆錢玖分玖毫叁
忽陸微陸纖
裁省解部銀陸百陸拾肆兩捌錢陸分肆釐柒毫貳

絲陸忽

外優免丁糧二項解部銀柒百玖拾叁兩叁錢伍分柒釐叁毫壹絲柒忽肆微玖纖壹沙貳塵柒渺柒漠

實徵本色漕南孤貧米壹千玖百伍拾捌石捌斗玖升柒合陸勺

本色漕糧正耗米壹千柒百貳拾石陸斗

本色留充本省兵糧米壹百貳拾叁石玖升柒合陸勺

本色存留孤貧米壹百壹拾伍石貳斗

外不田畝人丁派徵雜項出辦

戶部項下商稅

稅課局額辦商稅銀捌拾貳兩玖錢伍分肆釐陸毫

又協濟昌平州銀肆兩伍錢水脚銀肆分伍釐此項原編額辦商稅銀貳百伍拾兩玖錢玖分貳釐貳毫內撥出銀捌拾貳兩玖錢伍分肆釐陸毫又撥解昌平州銀肆兩伍錢水脚銀肆分伍釐以上二項俱改解戶部餘銀壹百陸拾叁兩肆錢玖分貳釐陸毫抵解倉米馬價

兵部項下牧馬草場

本縣民牧馬草場田地伍拾貳項陸拾肆畝貳分伍釐貳毫壹絲共徵租銀貳百壹拾陸兩玖錢叁分叁釐貳毫玖絲壹忽

工部項下漁戶出辦

本折黃蔴白蔴魚線膠共銀陸拾貳兩伍分壹釐叁毫柒絲遇閏加銀壹兩柒錢陸分貳釐叁毫叁絲壹忽貳微伍纖內本縣自徵銀伍兩叁錢捌分伍釐伍毫叁絲壹微柒纖伍沙鋪墊銀伍分叁釐捌毫伍絲伍忽叁微壹沙柒塵伍渺遇閏加銀壹錢伍分肆釐肆毫叁絲壹忽叁微陸沙貳塵伍渺外江都儀真泰興丹徒四縣協濟銀伍拾陸兩伍分壹釐肆毫陸絲玖忽捌微貳纖伍沙鋪墊銀伍錢陸分伍毫壹絲肆忽陸微玖纖捌沙貳塵伍渺遇閏加銀壹兩陸錢

釐捌毫玖絲玖忽玖微肆纖叄沙柒塵伍漠此項六縣協濟自行徵銀辦解赴司掛號解部

班匠出辦

工部輪班人匠二名每名銀肆錢伍分共銀玖錢水脚銀玖釐此項于順治二年准部文免編今于順治十五年六月二十六日部覆　題奉

旨照舊編徵起解

解南省兵餉項下

本縣軍牧馬草場皂河北等圩肆拾叄圩共徵租銀叄百捌拾貳兩貳錢捌分伍釐貳毫內除該河州馬艮丘平自解銀壹拾玖兩伍分本縣實徵銀叄百陸

拾叁兩貳錢叁分伍釐貳毫
瓜埠巡檢司額辦正料桅鈔銀叁拾貳兩柒錢陸分
陸釐陸毫
餘鈔銀叁拾叁兩陸錢伍分貳釐肆毫此項原編銀捌拾叁兩陸
錢伍分貳釐肆毫內撥出銀伍拾兩抵解前項倉米
[illegible]價銀兩餘銀叁拾叁兩陸錢伍分貳釐肆毫改解
[illegible]部
[illegible]餉
漁課銀壹拾玖兩伍錢貳分陸釐叁毫肆絲遇閏加
銀壹兩柒錢捌釐叁毫玖絲此項係江都等縣協濟
銀兩今奉布政司催解
各縣自行徑解內江都縣銀柒兩貳分陸釐叁毫[illegible]
絲遇閏加銀陸錢壹分肆釐捌毫捌絲玖忽儀真縣
銀陸兩伍錢遇閏加銀伍錢陸分捌釐陸毫貳絲柒
真縣銀壹兩伍錢遇閏加銀壹錢叁分壹釐貳毫貳

絲丹徒縣銀肆兩伍錢遇閏加銀叁錢玖分叁釐陸毫陸絲壹忽

學田

本縣學田肆項貳拾伍畝叁絲共徵租銀叁拾壹兩陸錢陸分陸釐柒毫伍絲又清出田塘肆畝玖分玖釐陸毫肆絲此項于順治五年惟學院魏　加徵銀壹拾叁兩壹錢陸分貳釐貳毫伍絲舊額併新加共銀肆拾肆兩捌錢貳分玖釐照舊催徵聽候學院支取刊刻考卷及賑濟本縣貧生之用

本縣蘆課額銀貳千壹百壹拾柒兩貳錢伍分

雜項內減徵寬民欵項

課程

本縣房屋鈔柒拾陸貫貳百文每貫折銀陸毫共銀

肆分伍釐柒毫叁絲本色銅錢壹百伍拾貳文肆分

稅課局酒醋鈔貳百叁拾捌貫伍百陸拾文每貫折銀陸毫共銀壹錢肆分叁釐壹毫叁絲陸忽本色銅錢肆百柒拾柒文肆分以上二項于順治三年奉招撫內院洪　訂正經制改編前項南餉項下在于田畝徵解其城市鄉村舖戶免派

戶口

戶叁千貳百伍拾肆戶

口男婦軍匠共貳萬伍千玖百玖拾壹口

論曰三壤紀于禹貢九賦定于周官什一而稅自上世以來未之有改也明高皇生長民間知稼穡之艱

難金陵片土實帝跡所自起故蠲租之詔屢下蓋爲根本計至深且遠也自後紛更不一大要欲除煩解苛與民休息耳然往往以雜役易于更端併而歸之正稅卒之正稅難于裁減復分而加爲雜役是重困也賦日益增民日益窮而國隨之矣

世祖皇帝軫念民生熟籌利弊參酌時宜悉蠲加派視民如傷何以異焉若夫仰體

皇仁以惠下土惟蒞斯土者實意奉行而已

江寧府志卷之十終

江寧府志卷之十一

學校志

帝王興學首重庠序五禮六經以明孝弟大江之南賢哲繼起人文蔚興是在君子作學校志

府儒學在府治北漢丹陽太守李忠起學校孫吳立學皆莫詳所在南宋置儒學於鍾山之麓宋天聖建學府西北景祐徙於府治之東南元路學因之明洪武初改為國學後改為應天府學洪武十四年夏相基於雞鳴山下建國學名國子監鼎革之際學毀

先師廟獨存
大清順治六年江南百務維新聿典文教督臣馬國柱
題有改建黌宮以宏皇化之疏奉
旨依議行遂改今學守道林天擎督修改建學門甬道
修飭
聖殿兩廡櫺星門戟門等處改彝倫堂爲明倫堂設志
道據德依仁游藝四齋修
啟聖祠暨學官公署以國子監坊爲江寧府學坊規制
宏麗儒林之巨觀也督府馬國柱勒石爲記順治十
三年 啟聖祠圮 聖殿漏濕兩廡戟門傾教授朱

諛暨諸生白夢鼎等建議上　督府郎公倡修葺
工成康熙二年知府陳開虞復修會奏
上詔有地方官以學宮興廢入考成之旨江寧首學爲
江南表帥康熙五年布政司金鋐督糧道周亮工知
府陳開虞會僚屬捐俸重修議改學大門於欞星門
左引河水爲泮池考春秋二祀祭典修正古樂器議
建　啓聖名宦鄉賢祠暨學官公署先是國學祭用
大牢樂用樂舞生今改郡學祭去太牢樂如前順治
十三年奉
旨省會丁祭布政司祭　聖廟知府祭　啓聖祠府佐

祭兩廡先賢先丁一日督府司道各衙門俱詣廟行
禮學官生員宿廟隨班行禮前祭器樂器除解北部
外祭器存者學官典守樂器仍存道紀司

（馬國柱請改學疏）竊惟我
皇上設科取士搜羅英儒尊崇
聖教作養人材更始爲新莫不禮陶樂淑查江寧舊爲
陪京有國學而無府學今改爲省城學官生員俱備
惟無學宮今鼎建黌典國學之名所當更易且目
久頹圮基址徒存臣與戶部侍郎馬鳴佩操江臣李
日光按臣陳顯忠前任學臣魏琯同藩臬二司道府
諸臣商酌僉謂京既改省國學宜可改府學也修理
舊址不煩新創所有春秋二祀每年即於學房匠租
以供春秋祭祀之用從此首郡庠序煥然更新乎告
人文一時蔚起仰贊
聖朝德化亦爲當務之急也禮戶二部具覆奉
旨依議

附（宋訥太學碑記）洪武十四年夏上詔羣臣
曰王者受命武功文德相繼成治顧茲成均地臨畿

嗚何以振文教朕相基於雞鳴山下高爽平遠豈天協朕心若藏此地俟興一代學乎羣臣稽首曰皇上聖神斯文福也乃以天子學制授諸冬官冬官臣奉詔夙夜匪懈楩楠豫章來積如阜鑿山載石與土築基梓人效藝以宏其制又遣金吾前衛親軍指揮譚格督其工先堂有七彝倫所以會講率性修道誠心正義崇志廣業則諸生肄業所也會饌有堂庖廚有室井竈以亭物貯以庫倉廩蔬圃東門繚垣回廊儲書兩堂之間東西有館助教正錄居焉東偏列室鱗次諸生處焉廟在學東北以增基大成有門七十二賢有廡凡為楹八百一十有奇壯麗咸稱明年五月告成十有一日天子遣使祭 先師以太牢禮畢胄子及民之俊秀登堂受業十有七日上躬臨廟禮行酌獻再拜而退乃蒞學學官率諸生進拜堂下博士臣龔斅執經祭酒臣吳顒講經既畢萬乘是還此千載曠儀講而行之斯文增重矣六月一日上又賜勅文重諭胄子禁止防過之法訓迪誘掖之意無不至焉越一日帝御奉天門命臣訥文之于石臣不敢以不文辭遂述興造始末為之言曰孔子之道垂憲萬世帝王之典首建太學蓋學所以扶天理叙人心也

皇極由之而建大化由之而運世道由之而淸風化以
本原國家政務未有捨此而先者或有未備則無以
維三綱五常之具示作人重道之心聖天子位居君
師續道統于堯舜禹湯文武建學定規高出前古凡
我登堂養正游藝之士斯言斯誦相勉相誨無負教
養則正人端士叢出而爲國家楨幹祚聖子神孫之
業萬世而無窮者當自今始顧臣膚陋敢不對揚帝
命式昭盛代之典文也拜手稽首而獻頌曰於惟聖
皇臣伏萬方秉哲經綸武偃文揚備慶發祥載整乾
綱乃相學基雞鳴山陽平遠高爽非龐非崇武燀京
邑隱若天藏考制定規聖度爲量乃授工曹孰敢怠
遑工師用勸効技允臧有廟有廡有廊有堂鱗比而
重龍起而翔登用儒臣教化昭彰佩服鏘鏘絃誦洋
洋正學有傳師道有常萬乘來臨俎豆生光千載禮
儀一代典章躬親講道超軼百王聖製昭宣啟廸蒙
昂寵及青衿垂範流芳材育化崇殷序周庠立極修
則遠紹虞黃德進英豪業修俊良股肱朝廷都俞吁
廊以弘文化慶祚靈長願祐皇圖萬世無疆

先師廟學舍之左前爲櫺星門中爲

先師殿崇高巍煥碧瓦朱甍規制宏麗山川環拱氣象鬱葱兩廡七十二楹欄楯周遭穆深廣濶松栢蔭之悉作左鈕天印在前元武湖居後鍾山峙左雞鳴環右元武湖之水循宮墻而南合於青溪秦淮之水入青溪而北抵於雞籠皆合襟於前以爲

聖宮衛護天生靈秀人文之奧區也殿前左右碑亭四座一爲明洪武尊祀孔子之詔一爲永樂視學之碑一爲

大清督院題請改學之碑一爲順治九年禮部欽依刊立曉示生員卧碑明洪武詔曰朕維爲治之道必本於禮考諸祀典知五嶽五鎮四海

四瀆之封起自唐世崇名美號歷代有加在朕思之則有不然夫嶽鎮海瀆皆高山廣水自天地開闢以至於今英靈之氣萃而爲神皆受命於上帝幽微莫測豈國家封號之所可加瀆禮褻經莫此爲甚至如忠臣烈士雖可加以封號亦惟當時爲宜夫禮所以明人神正名分不可以借差今命依古定制凡嶽鎮海瀆並去其前代所封名號止以山水本名稱其神郡縣城隍神號一體改正歷代忠臣烈士亦依當時初封之爲實後世溢美之稱皆與革去其孔子善明先王之要道爲天下師以濟後世非有功於一方一時者可比所有封爵宜仍其舊庶幾神人之際名正言順於理爲當用稱朕以禮祀神之意於戲明則有禮樂幽則有鬼神其理既同其分當正故茲詔示

明永樂視學碑記

朕惟帝王之興必首舉學校之政以崇道德弘敷化正人心成天下之才致天下之治唐虞三代之盛率由於茲也我皇考聖神文武欽明啓運俊德成功渡江首建學校親祀孔子日引儒臣講論經義求古聖人之道身體力行既統有萬方卽詔府州縣皆立學天下士子雲集京師復新作[illegible]學於雞鳴山之陽親製敎條頒布中外又命天下

廣生員復其家府州縣皆用春秋有祀孔子賜以古
舞德教廣被海外諸國並遣子入學教化之隆視昔
爲盛朕纘承大統仰遵成憲乃永樂四年三月朔日
躬詣廟庭謁先師孔子前期三日雨將祀之夕霽雲
澄霽星緯昭明暨旦天宇穆清旭日鮮麗舍采於廟
退即彝倫堂文武羣臣咸侍左右師儒在席諸生以序
列堂下命祭酒胡儼等以次講經成禮乃還夫學以
明道也道之體廣大光明配乎天地日月而其實不
離乎日用之間孔子明之上以承堯舜禹湯文武之
傳下以爲後世植綱常開太平於無窮而世之極其
尊崇之禮者非於孔子有所增益特以著明其道之
至大天下不可一日而無也爰因視學謹序述所以
致隆治化之本勒碑於廟

總督改建江寧府學記

今
上順天應人膺圖受命典章制度煥然一新所以作
天下之耳目而鼓舞斯人之志氣也江南舊爲都會
地自孫吳創業六朝改步更代不常前朝開國始基
於此亦祖周人酆鎬並設之意乎吾
皇上既已振長策而包舉之改京爲省以其府爲江寧
府於是衆星辰拱羣流東注矣此地舊有國子監蓋
緣京而設京既廢矣監與俱廢雖然郡學不可以不

典余遂具疏請改監爲今學幸微
俞旨因得庀材鳩工葺頹補缺而郡學儼然若新都士
來遊於此耳目志氣必有振動激發濯磨砥礪以應
維新之運者易曰大人虎變其文炳也所以彰吾
皇上化成天下之弘模又曰君子豹變其文蔚也豈非
多士觀光作賓之際會與是役也余與馬少司農實
經始其事而諸有事於地方者倡予和女樂觀其成
無非仰體
朝廷作新盛意就人情之嚮往愈微文教之聿興彬彬
郁郁賢材輩出於以黼黻
熙朝勷贊盛治垂之千百年豈不在斯舉也哉順治九
年四月總督部院襄平馬國柱撰　順治九年欽依
刊立曉示生員臥碑
朝廷建立學校選取生員免其丁糧厚以廩膳設學院
學道學官以教之各衙門以禮相待全要養成賢才
以供
朝廷之用諸生皆當上報
國恩下立人品所有教條開列於後
　一生員之家父
母賢智者子當受教父母愚魯或有非爲者子既讀
書明理當再三懇告使父母不陷於危亡　一生員

立志當學爲忠臣清官書史所載忠清事蹟務須
相講究凡利國愛民之事更宜留心　一生員居
忠厚正直讀書方有實用出仕必作良吏若心術邪
刻讀書必無成就爲官必取禍患行害人之心往往
自殺其身常宜思省　一生員不可干求官長交結
勢要希圖進身若果心養德全上天知之必加以福
　一生員當愛身忍性凡有司官衙門不可輕入即
有切已之事止許家人代告不許干與他人詞訟他
人亦不許牽連生員作證　一爲學當尊敬先生若
講說皆須誠心聽受如有不明從容再問毋妄行辯
難爲師者亦當盡心教訓勿致怠惰　一軍民一切
利病不許生員上書陳言如有一言建白以違制論
黜革治罪　一生員不許糾黨多人立盟結社把持
官府武斷鄉曲所作文字不許妄行刊刻違者聽提
調官
治罪

啓聖祠在學舍右今圯議修

名宦鄉賢祠缺今議建

學租春秋二祀每年題定學房田租銀內動支四十八兩九錢以供祭祀其學租學田載後

一學院耿開墾上元縣清化鄉學田壹百叁拾壹畝地拾捌畝荒地貳畝肆分房基場地叁畝每年納學租銀柒兩肆錢陸分柒厘肆毫

一按院王設置官房平市街行口佃房叁間陸披每年納學租銀柒拾兩捌分捌厘

一學院高清出社學房地內常平倉河灘地壹塊木匠坊基地貳間又溝披披貳間伎藝坊社學地壹塊江東二廂學地壹塊澗字橋社學房陸間馬路街學地壹塊通濟門外學房壹間地壹塊廣藝街學房肆間披貳間下街口學房壹間地壹塊府軍衛二舖學房叁間地壹塊梳子廊學房叁間正西一廂學房叁間馬府隔壁學房陸間城中臨字舖學地壹塊以上房地共拾伍處每年共納租銀壹拾玖兩貳錢陸分叁項田房每年共計支納學租銀玖拾陸兩捌錢壹分伍厘肆毫歲終俱解赴學道[illegible]門支銷

一於順治拾伍年正月二十六日按院[illegible]發追逃犯毛遵六贓銀陸拾壹兩置買上元縣書[illegible]

鄉六區田壹處計貳拾陸畝捌分每年交租銀肆兩
以供文廟繕掃之用餘銀貳拾兩係民人李樸領每
月交學息銀肆錢湊濟繕掃應用　一順治拾陸年
拾貳月內分守兵備道王憲牌開蒙巡按察院衛憲
行發銀叁百兩分給典舖取息貳分歲計陸拾
兩每年令府學彙收分賑叁學貧生永著爲例

上元縣儒學舊在今縣治東按京城圖志云存義街即
上元學基宋寶祐戊午東陽陳寅宰邑始以廢圃爲
宮梁椅撰記景定二年知縣鍾蜚英創建學宇元至
元中縣尹田賢重修進士李桓記明洪武初省生儒
併於府學其貢士計偕之費生員廩餼之需猶給焉

江寧縣儒學宋景定四年知縣王鎧建在縣治北元仍
宋舊明初省生儒併於府學而計偕廩餼之費猶縣

給焉

本朝改國學爲府學改府學爲上江兩縣學其規模俱從府制卽宋景祐所建府學也先是淳祐趙以夫更命教堂曰明德元設集慶路學於宋學故地行臺御史楊演有記明初改爲府學置一堂四齋以上元江寧二縣學省入增二齋訓導及生員廩膳之數永樂六年廟學災宣德七年守臣襄城伯李隆府尹史怡重建少傅楊榮爲之記成化七年復燬提學御史嚴銓復建卽尊經閣爲後堂尹魯崇志成之弘治間尹秦崇以石堤障秦淮水正德間尹白圻繚以石檻[illegible]

靖初都御史陳鳳梧平學後山重建尊經閣增敬一亭侍讀黄佐有記萬曆三年濬月河以石甃岸易學前戸部地爲屏墻四年成之十四年太常寺少卿周繼署府尹事造青雲樓於學舍之北建天下文樞坊及聚星亭於廟之前焉後屢加重修今制如舊學中尊經閣貯明國學經史書樓所藏十三經二十一史通鑑綱目通典會典通考通志諸書板雖殘缺然猶有存者寄貯閣中順治十七年布政馮如京請修廿一史逾年修成擬進

御覧　督府郎公廷佐爲之序今十三經猶可繼修也

〔黄佐記曰〕金陵故吳國也自我明受命增其式廓作爲天府以統函夏而扁其學宮之堂曰明德天下郡國學校靡得而同焉都人士之樂育者爭自濯磨以自異於凡民越倫駿茂後先輩出蕃華華如也其在周易乾之象曰君子以自强不息法天健也而繇以飛龍則君道存焉天府之名以之晉之象曰君子以自昭明德法日升也而象以錫馬則臣道存焉堂之名以之夫日之運於天士之仕於君其義一也先王設爲敎學以逮於今米廪以養之黌宮以居之詩書六藝以迪之藏修游息以節之旦夕則揖讓登降以示之朔望則瞻依拜跽以道之敬歲時則有釋菜賓射之事而肄之以進退俯仰之度感之以弦匏拊鼓之音動之以干旄羽籥之容所以牖其心知和其血氣繕其性情釋其邪侈增其粹美使之入而事親從兄傃宗睦族出而忠君親上展講授物內而存省悉窒外而動作威儀無須臾而不學則其德也無須臾而不明矣於戲日運於上而與天會則成歲功士盡於君而承君休則成德業是役也匪爲美觀而已蓋大造爾士崇厥明德光輔聖天子以熙鴻號於無窮則諸公之志也藏儀修業者盍思所報乎哉

先師廟在明德堂前宋雍熙中有文宣王廟在府西北三里冶城故基天聖七年張士遜徙廟浮橋東北景祐中改建今學內紹興六年修江賔王有記淳祐六年增造兩廊以妥從祀元至大二年重修盧摯有詩御史劉泰有修祭器記明宣德七年重建大成殿正德間重修王守仁有記嘉靖間再修湛若水有記更大成殿爲先師殿〔王守仁重修記曰應天爲京兆其學蓋東南教本也在國初以爲太學至洪武辛酉而始改創再修於宣德之己酉自是而後浸以敝圮正德壬申府尹張公宗厚始議新之未幾而遷中丞以去今中丞白公輔之相繼爲尹乃克易朽與頹大完其所未備而又自以其俸餘增置石欄若干楹於欞星門之外於時府丞趙公時憲亦協心贊畫故數十年之廢一旦修舉煥然改觀師模

士氣亦皆鼓動興起與廟學一新教授張雲龍訓導戴章陳義黃森何奎邢越與闔學之士二百有若干人撰敘二公之績徵予文爲記予既不獲辭則謂之曰多師多士若知二公修學之爲功矣亦知自修其學以成二公之功者乎夫立之師儒區其齋廟昭其儀物具其廩庖是有國者之立學也而非士之立學也緝其敝壞新其朽墁給其匱乏警其隋弛是有司者之修學也而非士之修學也士之學也以學爲聖賢聖賢之學心學也道德以爲之地忠信以爲之基仁以爲宅義以爲路禮以爲門廉恥以爲垣六經以爲戶牖四子以爲階梯求之於心而無假於財貴也其事不亦易乎修之於身而無假於雕飾也其工不亦簡乎措之於行而無所不該也其用不亦大乎三代之學皆此矣我國家雖以科目取士而立學之意亦寧與三代異學之弗立有國者之責也弗修焉有司者之責也立矣修矣而居於其地者弗立弗修是師之咎士之恥也二公之修學既盡有司之職矣多師多士無亦相與自修其學以遠於咎恥者乎無亦擴乃地厚乃基安乃宅闢乃門戶固乃垣墻學成而用大之則以庇天下次之則以庇一省一郡下之亦

以庇其鄉閭家族庶亦無負於國家立學之意有司修學之心哉若乃曠安宅舍正路圮基頹垣倚聖賢之門戶以爲奸是學校之爲萃藪也則是朝廷立之而爲士者傾之有司修之爲士者毀之亦獨何心哉應天爲首善之地豪傑俊偉後先相望其文采之炳蔚才藝甲科之盛多乃其所素餘有不屑於言者故吾因新學之舉嘉多師多士欣然有維新之志而將進之以聖賢之學也於是乎書

〔元〕劉泰修祭器記

夫先王之立禮也有本有文忠信禮之本也義理禮之文也本以主乎中而不敢懈文以著乎外而不可闕所謂無本不立無文不行也矧器數制度莫不起於時之宜事之當而有以成施於祭祀必盡已以實內外一致方能感格斯五禮中尤爲難者其本與文一或有闕致誠亦不至雖勉卒事不陷於如不祭者幾希是故擴忠信義理於齋莊恭敬拜起坐立儀不少愆者亦本之所以立也簠簋籩豆行立有數者亦文之所以行也故曰器有一之不備則禮有一之不行是以本既立矣文既行矣內外交盡不虛矣明則人物懷其仁幽則鬼神饗其德必至乎是則祀事孔明庶無悔矣建康爲江南名郡又臺察莅焉廟貌巋

然學校修整祀器燬於大德壬寅之火存者十不二
三若弗補完是文不行於外而內雖有本安獨立邪
我元大興文治加封孔子報德報功禮隆丁祀有司
奉行固不敢不致如在之誠然而黍稷之馨弗實於
簠簋水土之品弗登於豆籩雖曰明德惟馨亦奚指
彼以明此哉噫器之未具也粢盛庶品一或不登無
以表其明德今器既具矣庶品既登矣誠或不足於
有事之際雖黍稷之馨神亦不饗所謂誠爲實禮爲
虛也有事於豆
籩者可不謹乎

啓聖祠在明德堂左明嘉靖十年增建

名宦祠在儒學左正德九年建祀名宦四十二人漢魏
公相何公武李公忠晉褚公裒唐顏公眞卿宋呂公
蒙正張公詠包公拯范公純仁程公顥楊公邦乂岳
公飛趙公鼎朱公熹劉公珙眞公德秀汪公立信明

王公亮許公存仁張公統周公忱孫公鼎顧公佐鄭
公埜陳公選王公恕戴公珊魯公崇志林公塘婁公
謙陳公琳鄭公汝舟鄧公德昌王公獷孫公懋楊公
宜王公道龎公嵩周公如斗耿公定向海公瑞江公
宗伊陳公貞張公履正柯公挺黃公承元丁公賓李
公棠鄭公璧周公起元楊公以任馮公叔吉錢公士
貴錢士貴爲之記

〔記畧曰〕明興定鼎建業卽宋建康爲京府學學故有宋馬光祖所建
先賢祠凡名德之仕斯產斯寓斯者祠焉至是始著
名宦鄉賢兩祠祠之名宦祠在學左方祀漢魏憲公以
下至明凡五十餘人所仕若鎭撫若統帥若學校若
轉運若刺史參佐政蹟風猷人不一轍或開利或除
害或文教或靖節盡瘁皆秩列而嚴祀之崇德報功
風示有位典至飭也余惟祭法所載法施於民則祀

之能禦大災捍大患則祀之其或身以殉國道以臣
時於法皆所當祀今所祀諸公無慮皆名臣惠牧騰
焯今古中於顏魯公趙忠簡楊忠襄岳武穆精忠茂
烈范忠宣包孝肅程明道朱考亭之道化德教暨我
明王公以下諸先正之循猷亮節功在民
社炳烺雲煙真足表千秋而風百執者也

鄉賢祠在學右亦正德九年建祀歷代名賢吳張公昭
唐公固晉紀公瞻賀公循王公導顏公含王公詠陶
公回張公闓樂公道融謝公安宋劉公瓛齊陶公子
鏘梁蕭公統宋秦公傳序李公琮胡公銓秦公鉅元
楊公剛中明陳公遇孫公炎杜公環張公益王公一
居李公時勉童公軒倪公岳賀公確陳公鎬陳公欽
何公遵劉公麟梁公材顧公璘周公金邵公清王公

以旂王公鑾殷公邁許公穀沈公九思李公逢陽楊公希淳焦公竑何公世守李公登□　自新顧公璘周公祠祀明衡府紀善周公是修明建文之變是修謚死尊經閣中萬曆中建祠學中祀焉詳見祠祀志（李東陽樂府云尊經閣閣高不可攀前有宣尼宮後有鍾陵山）

明道書院在鎮淮橋東北宋淳熙初留守劉珙以明道程先生顥嘗爲上元簿祀之學宫朱文公熹爲之記紹熙間卽縣西偏祀之嘉定間改築新祠真德秀爲之記淳祐巳酉郡守吳淵更創依白鹿洞規聘名儒爲山長理宗賜明道書院額後馬光祖姚希得增修

元廢弘治間御史司馬亞祀於學嘉靖初御史盧煥始卽今址爲書院祠祀焉御史劉隅章衮增飭之康熙六年知府陳開虞同推官謝銓倡修復舊制

新泉書院在長安街西嘉靖初湛若水爲禮部侍郎史際以宅舍爲之因掘地得泉乃名焉有學田

崇正書院在清涼寺東提學御史耿定向建有學田

南軒書院在天禧寺方丈後本南軒先生張宣公講習之地眞西山先生建祠祀焉淳熙中馬光祖重建有主一堂求仁任道等齋極高明樓後王埜又設西山像配食祠中至元中遷城東大德元年創建祠宇今

廢

昭文書院在湖孰鎮梁昭明宴遊之地有太子東湖讀書臺宋咸淳中方拱辰扁曰昭文精舍里人杜氏守之元至元中定額昭文書院今廢

文昌書院在府學成賢街原國子監文昌閣也明萬曆乙卯國學助教許令典創建

國朝順治庚子學博朱謨同學生鄭之璘白夢鼎董欽重修建坊申請額曰文昌書院以爲讀書講學之所

上元社學洪武中每坊厢建社學一區以學行者舊爲之師教一坊子弟悉令通孝經小學諸書其俊秀者

選入郡學鄉飲酒禮既畢於學每坊即社學爲會飲之區以禮一坊高年行禮讀法如儀社學久廢唯嘉靖中學使楊宜稍簡諸生堪教習者與爲社學師數處至今相襲廬其居餘基地可稽小民佃居者入租於官餘多爲豪猾侵占不可盡考云佃租六處織錦坊五圖一木匠坊三圖一伎藝坊二圖一南北埸坊一江東二廂一三山門外莫愁湖一生員居五處聚寶門外澗子橋一馬路街一通濟門大街一英府對廊一廣藝街一閒廢五處糖坊橋一下街口建安坊一府軍衛前所二舖一梳子廊一倉巷一

江寧社學一在城南技藝一廂一在城南針巷生員居一在正東新廂一在新廊地方居民佃住一在正西舊廟常平倉左在儀鳳門一在清江門二皆佃種

上元學田學租共租銀陸拾貳兩柒錢玖分四厘陸毫
江寧學田學租本縣鳳西叁圖學田地山塘陸拾畝壹
分惠化壹圖學田地山塘共貳百柒拾壹畝陸厘以
上除地丁漕米等項銀兩外每年共實徵租銀陸拾
壹兩柒錢玖分玖厘柒毫解學道項下彙解藩司
貢院在秦淮上縣學之北地廣十餘畝中有樓曰明遠
堂曰至公左右爲監試提調院列以謄錄對讀供給
諸所前空處即東西文場地號若干間堂之後又堂
七間三間爲會堂左右各二間爲考官燕居兩序則
五經同考官室堂後大池架梁於上池北之堂曰飛

虹左右掖皆有屋明隆慶初都御史盛汝謙購隙地繚以土垣四通以巡警外設公館及羣舍以備供饌江寧府領之宋乾道四年知府史正志建貢院於建康面秦淮接青溪疑即此地

句容縣學在縣治南唐開元十一年始建於縣署東宋皇祐知縣事方俊再建元豐二年葉表以縣南驛改造卽今地紹興二十三年龔濤修編修江寬王爲之記元至大二年尹趙靖重建明洪武十二年知縣韓繼修景泰四年府丞陳宜易學西民地置教官廨嘉靖四十五年重建

國朝順治十三年知縣葛翊宸重修〔江寬王記畧曰〕鄉校不可一日廢也

尚矣青衿逸城闕鄭詩以爲刺下車修庠序漢史嘗之菑中孝弟勵賢才取士論政養老享賓悉由於此故君子於其興廢也有以徵國之盛衰見人之賢否句容舊有夫子廟在縣之東謹按古碑立自唐開元十一載我宋之興文物隆盛元豐二年葉公領縣病其卑陋且惡俗不喜儒相廟之南有驛焉寬閑亢爽面對三峰佳氣勝槩可坐而致於是斷然徙之歷時滋久廟貌皆黯黌舍傾毀非所宜稱東平龔壽仲山履行端方飭吏治以儒術凡有施設知所先後紹興壬申以左奉議郎出宰謁廟之初喟然歎曰創於前者欲美而彰承於後者欲盛而傳今鄉校若此有忝厥初人其謂何越明年八月乃率僚屬鳩工賦役儀門正殿講堂精廬雄深巨麗規模宏偉廼左廼右各有攸居棟宇屹然可瞻可仰閏十一月丁亥告成集師生賓佐以落成之且舉釋采禮奉祭於先聖先師籩豆簠簋列於殿廡升降進退躋躋蹌蹌父老來觀低回留之而不忍去諸士欲鐫石記之以無忘令之德猥以見屬賓王忝桑梓義不獲辭然天下之事務其大者遠者則可書不然徒寫琬琰奚益春秋之世魯僖公能修泮宮有史克者作誦鋪張揚厲惟敘其

采芹采藻獻馘獻四而巳至若棟宇時制則略而弗信意固有在矣矧今日之事哉吾知今之意不在聳楹計工誇耀一時也蓋欲後進方領矩步升堂入室敦詩書説禮樂然後發策決科致君澤民以繼踵先達者益知教化之所自來其所務遠且大誠可嘉也於是乎書

先師廟宋知縣事方峻更置元縣尹張士貴重建明永樂中增修祭酒胡儼有記成化十四年徐廣重建侍郎尹直有記宣聖廟門準儀立戟十六始宋建隆二年至正和元年增爲二十四戟所以備儀衛示尊崇也嗟夫學校教化所以出其興廢實守令之責然所以爲教化者豈專以廟堂爲美觀哉要之有其本也苟徹壞不治則無以將事既徹而新之此爲政者知修其職也至於務本則吾黨之士當以勉之昔高皇帝既定天下首崇學校之政教育人材作新士習貽謀於萬世者遠矣至我皇帝繼承大統繼志述事表章儒術深念天下學者務科目進取致力於詞句文辭之間而忘修巳治人之術乃命儒臣

取六經四書與諸先儒之奧論所以發明聖學維持斯道者類聚成書賜名性理大全頒之天下學校嘉惠學者使知務本之意所謂天祐下民作之君師德教之隆超軼前古天下之爲師徒者當知此書美教化而敘彝倫一道德而同風俗需此焉出非徒科目進取之事也已

啓聖祠在明倫堂後

名宦祠在戟門左

鄉賢祠在戟門右

射圃在縣治東陳敬宗有記〔記云〕惟射之義廣矣大矣古者天子諸侯卿大夫士皆重之周官司裘共王虎熊豹三侯設鵠諸侯熊豹二侯卿大夫麋侯皆設鵠此大射之侯也王射三侯五正諸侯射二侯三正卿大夫射一侯二正士射豻侯二正此賓射之侯也而州長射於州序其侯亦同賓射天子熊侯白質諸侯麋侯赤質大夫布侯畫以虎豹士皮侯畫以麋豕此燕射之侯也茲三射之侯

以其飾之多寡而別尊卑焉天子射百二十步諸侯九十步大夫七十步士五十步所以明尊者所服之遠而卑者所服之近也其制度有如此者夫射不特施諸武事將以習禮樂焉故諸侯之射也必先行燕禮卿大夫之射也必先行鄉飲酒之禮所以明君臣之義與長幼之序也天子有事於郊廟必先習射於澤宮擇士以助祭焉士者諸侯所貢之士也其容體比於禮其節奏比於樂而中多者得與於祭否則不與於祭而有慶讓黜陟之典焉所以重有德也諸侯繼世而立矣卿大夫有功而升矣而又試之以射考其德行與其才之高下焉所以慎其封爵也天子以騶虞爲節諸侯以貍首爲節大夫以采蘋爲節士以采蘩爲節節者禮樂之節也必修其節而矢焉則射豈可以藝道觀哉孔子射於矍相之圃賁軍之將亡國之大夫與爲人後者不敢入而唯幼壯孝弟耆耋好禮者得在賓位則躬執弧矢者其賢可知也故曰射之義廣矣大矣句容射圃即古州長之射於州序之禮也凡習射於是圃者苟能揖讓進退不失禮節內正其志外端其體操弧挾矢審固而發庶幾乎習禮觀德克合古道矣予故歷敘古之天子諸侯卿大

夫士禮樂制度以曉之使觀者咸知射禮之重如此而罔敢易視之也

學田一百三十三畝店十間提學御史聞人佺知縣周仕置後續置者詳載縣志共租銀柒拾柒兩肆錢伍分柒釐柒毫

南軒書院在縣治北知縣周仕改接待寺爲之

正心書院在崇明寺東萬曆三年建

社學在縣治者五東西北與東南西南各一在鄉者十有六

溧陽縣學在縣治東南漢光和中縣長潘乾立校官唐縣令柳均興學校莫詳其處宋淳化五年知縣事夏

侯戩建宣聖廟於縣西門外今廣惠祠地皇祐四年

查宗閔徙於今處紹興施祐嘉定陸子遹重修元陞

州學後燬於兵明初知州林公慶創建永樂十一年

重修天順中燬明倫堂獨存成化初知縣員賢漸次

修復十五年知縣陳福改明倫堂爲後堂而更新之

嘉靖元年湯滙闢迎秀門鑿泮池引注五堰之水四

十三年成之馬一龍易學後民地建尊經閣

國朝制如舊

先師廟宋初建後徙置大都與學同明永樂中教諭梁

本之請於朝修之楊士奇有記萬曆間知縣李光祖

重葺

國初漸圮康熙五年知縣徐一經更新焉漢潘乾校官碑在廟門右即宋溧水尉喻仲遠得之固城湖中者移置於此（楊士奇記畧云孔子之道天地之道也國家生民不可一日無者伏羲神農黃帝禹湯文武之位行是道於上孔子明是道於下皆聖人也而使後之繼伏羲神農黃帝堯舜禹湯文武之位得以行是道者孔子之功也論其功而隆其禮後之聖人之心也豈是天下至於海隅郡縣皆有廟學其人皆知孔子之道尊且大而況乎首善之地百里之外其民心向慕興起為何如哉溧陽縣古為州有廟學元季燬於兵國初林公慶知州事乃新作之垂五十年矣禮殿益敝教諭梁本之始至謁先師顧瞻愓然懼無以妥明靈承德意於是積俸廩節百費謀更新之而訓導陳餘適來議益克協力白之知縣李成皆曰此吾職也敢不竭力以相縣民耆老聞之又皆曰此非以圖善吾民乎奈何吾坐視自逸即皆自言

願有助也本之餘以其情言於朝從之於是縣尹李成以下各助出私帑作大成殿若干楹易故以新工義材良高敞宏麗加於舊規又更新夫子四配十哲像踰年以成成由此而邑長貳學官諸生歲春秋承詔行禮對越如在將事秉虔罔或逾越退而考諸前言往行益歎焉敬修以求無怍於古聖賢將上以光國家之用下以厚邦家之脩所裨益豈細故哉至是來請書其成夫仕而受政教之寄克究知本源之意相與殫力一心不費於公不勞於衆以底於成功可謂得人而爲民父兄之於所舉奮起趨事如巳嘗然又以見人心之趨向而王化之被皆可書也是役肇於永樂庚寅明年六月竣事

啓聖祠在敬一亭左萬曆二年修

名宦祠在戟門右祀名宦十八人

鄉賢祠在戟門左祀鄉賢三十人

射圃在學右

學田嘉靖十七年知縣呂光洵始置後巡撫都御史張烜易田收租一百二十八石有奇知縣鄭一龍巡按御史董鯤邑人史際楊孟元相繼助田共田四百五十四畝工部尚書劉麟有記〔記〕云古之君子聞人有賜則興辭讓之心苟辭之而已焉則居之者爲誰是不然貧可也有故可也四教優入者可也噫嘻原憲之辭叔世希矣冉求之請當時少之將非今日用財之斷案乎君子於此恒日可以取可以無取少有未安即持遜避一國興讓其風穆如是心推之天下國家何施不可曰文曰道先立乎其本有士如斯亦足以仰答今日置田之義共租銀一百四十二兩二錢四分

社學在縣東南隅商輅有新建社學記〔記〕曰古者人生八歲入小學十五人大學小學教以灑掃應對進退之節禮樂射御書數之文大學教以窮理正心修己治人之道教之

以小學所以立大學之根本教之以大學所以收小學之成功此其人才之盛治道之隆有由然已鄉社之學即小學也郡州縣學即大學也然郡州縣學著在令典有司奉行也易鄉社之學家自爲教有司往往覛爲外務有能以作興爲已責者幾何人哉成化壬辰歲刑科都給事中白君昂奉命往丞應天下車首詢學政時溧陽令靳璋提調激勸之餘有志興建社學若力贊其決未幾堂構有成齋序秩然廼相與延致儒士周南唐鑑分領教事慎擇民間子弟之秀俾從遊其中朝夕講求古人立教之意與夫嘉言善行以收其放心養其德性庶幾將來小子有造進可以備大學之選退亦不失爲子弟之良由是而鄉歲增月益殆見百里之外無地非學無人不學人才何患於無成風俗何患於不厚此令之功實君之功也君懼久而易弛屬令具事狀徵予爲記將刻石以勸竊惟三代小學教人之法散見於經傳至宋儒朱子輯爲成書而後節目詳具綱紀不紊惜乎爲師者不知所以教爲弟子者不知所以學於是記誦辭章之習勝而致知力行之功泯矣何怪乎鄉無善俗世乏良材不有以來先正之所慨也夫使爲師爲弟子者

果能仰體聖哲之心下副有司之意不忽近者小者以馴致乎遠且大者則入孝出弟之間萬理咸備其爲風俗治道之補豈淺淺乎庸書此爲記其勖之

溧水縣學在大西門內唐武德間建宣聖廟於縣治東宋熙寧二年知縣事關起遷於崇儒坊內寶祐改命教堂曰明倫元陞爲州學明復爲縣學知縣鄧鑑高謙甫相繼修之成化重修修撰羅倫有記嘉靖十七年知縣陳光華徙於京兆館東謝廷蓮成之三十九年知縣曾震復即朝元觀基爲今學周之屛成之萬曆二十八年知縣徐必達重修尚書徐元太有記國朝順治十三年知縣閔泒魯重修有記羅倫記曰夫天下事有大

而無難得人倡之而已矣禮義人心同然未有倡而不和者事無大於治天下禮義治所自出學校又禮義所自出建學以明禮義固治天下大事也以擢然儒者任天下大事一倡而上下和者如響費者志其財勞者志其力出謀於左右者志其功吾是以知天下治無難也得人倡之而已矣倡之非其人不以其道而已矣禮義在人心固不假也善治天下者先善其倡之者而已公卿百執事所以佐天子以倡天下者也得其人則治且安不得其人則亂且危士之學於今日者固異日公卿百執事也師之倡於今日之士之學其固異日公卿百執事之倡也倡之無他明義禮以正其心修其身以為天下國家安且治之具也非徒倡之以奐其學校以僥利達而已且勞人之力而費其財人情常難從事功常難立也若明禮義以道之則不費其財不勞其力宜其易也二三君於爾邑人之甚難者既相與以有成矣則為其易者其不能相與以有成哉吾固惠其將相與以有成而天下之人將被其澤也

先師廟唐初廟址在舊縣治東三十步宋熙寧徙於學

内紹興八年知縣事李朝正修明初更建正德間知
縣何東萊重修萬曆五年建屏墻於泮水
啓聖祠在廟左前爲敬一亭
名宦祠在廟左
鄉賢祠在廟右
射圃舊在學東今廢
學田共二百五十畝有奇明知縣高翀教諭李旦置後
遷學欲鬻巡按御史董鯤贖存之隆慶知縣賀一桂
萬曆知縣傅應禎吳仕銓徐必達增置有記
中山書院在北門外祀明兵部尚書齊泰知縣謝廷蒞

置義田給其子孫在歸政鄉租銀一十八兩四分一

厘六毫

社學十一在崇儒坊唐橋巷南門内北門外郜村東巷

郜倉西郜村倉後柘塘市蒲塘街洪藍埠孔鎮各一

今俱廢

高淳縣學在縣治東通賢門外明弘治六年創十二年

廟學規制始備正德七年燬明倫堂御史徐翼周鵷

重建萬曆中知縣董旵遂丁日近重修余孟麟記知

縣項維聰增建敬一亭於尊經閣後

國朝順治十三年知縣紀聖訓重修（余孟麟重建明倫堂記云）高淳古國

城地也我朝定鼎金陵隸在圻內屬溧水其時未有
封境止以鎮名弘治間用守臣議始即其鎮爲縣云
縣環以三湖地故褊小其學宮去闤闠不遠制亦狹
隘舊有明倫堂五楹建自劉侯傑燬於正德丙子趙
侯懋復建久之隳然以頹嘉靖癸未劉侯啓東復撤
而葺之迄萬曆辛巳颶雨洊震一旦淪圮學宮有倚
席之譏生徒無宿業之志嗚呼學敝教湮甚非所以
勵士材而培化本也京山董侯艮遂受命涖止環視
棘墟則憮然曰三代之學建首善謂自京師始也鄭
在畿內學校廢弛子衿之作菑傷之焉今縣於陪京
爲股肱地化行中甸實此其基且國家以六事察吏
治崇學爲先藉令教熄而士靡所興也咨將安歸乃
召邑士夫與三老豪傑共圖之遴材諏工登登而作
發堂之蔀而甃其陛視舊幾高七尺緣堂之後復增
建中堂以接尊經閣規緒載闓輪奐孔飾淳之學會
然稱偉觀矣嘗觀聖人作易於泰而以否受之謂興
則有廢焉於剝而以復繼之謂廢則有復焉是氣運
之所相承也淳始興學士橫經執業駸駸乎彙進於
時至盛矣其後學以漸替士亦蒿焉有遠心茲復廓
而新之闢墜舉而標準懋先秕僻更而衣冠增氣可

牧者殫其心力如渴澤之必濬如息嚮之必張豈其徒爲是侈美而於諸士子不有厚望焉矣哉且夫導而易乎者機也學而易殖者志也上以風動下以風從矧吝邇大都澤最先被諸士子秩秩乎縱縱乎可以興矣庶幾駒名教之地漸仁義之化奮志而乘其機挽衰而復其盛懷奇偉石之才且應其輩出以恢翊休明之治則兹堂之重建所以裨益世風者不淺鮮矣

先師廟建置同學

啓聖祠在廟之東

名宦祠在戟門左

鄉賢祠在戟門右俱明嘉靖五年建

書院在縣治西

學田共二百七十九畝五分七厘五毫四絲租銀二十

五兩六分四厘

江浦縣學在城東明洪武十年創於浦子口城內二十五年徙縣曠口山之陽遂遷學焉郎令處宣德初修陳璉有記景泰中知縣勞鉞重建明倫堂嘉靖中張峯建青雲樓侯國治鑿泮池改建名宦鄉賢啓聖祠建文明樓明倫堂王守正又建文昌樓於明倫堂左崇禎中李維樾重新之國朝如舊制陳璉記云洪武初肇置縣於浦口隷應天府其土地人民乃滁和六合所割者復分江寧二千戸以實之二十四年改闢驛道始設江淮衛於縣西南二十里曠口山之陽遂遷縣與衛俱復徙儒學縣治之東隅繚垣四周櫺星中峙由戟門入南向爲大成殿距殿之北爲明倫堂堂左右爲二齋

廊廡環合締構精緻至於筦庫庖湢亦皆完美罔弗如式剏地去京師纔隔大江每一延矚龍蟠虎踞形勝畢在眉睫而儒學適擅江山之會負出埃壒之表肄業於此可以澄心滌慮有優游名教之樂奈歲久且敝縣當要衝庶務糾棼令丞簿月朔望一入學謁先聖課諸生爲故常講席未撤則匆匆上馬去奚暇按所而加修理乎宣德元年春大同廣靈李文煥來爲丞始力贊同寅修飭躬自程督刮絕蠧蝕自殿堂門廡齋舍次第以新舊規復矣所費一出僚寀俸貲及縉紳君子佽助官甿不與焉教諭盧陵孫鼎與訓導嘉禾孫珙議曰自始置縣建學垂六十餘載然未有以紀其實後將焉考以予嘗守滁陽知之頗悉乃述顚末徵文爲記予惟學校之設於世關繫甚重教化於是乎興風俗於是乎厚人材於是乎作成若學政既行教養法備則三者歲月可冀否則欲求乎教化興行風俗不媮人材盛於古難矣江浦爲畿內名邑士俗素美作興有人今學於斯者當相與薰沐[illegible]蒞倫紀磨勵志氣則德行可觀文藝可取他日進[illegible]天子器使尤當懷忠竭忱懋建勳業砥礪名節爲國家之光豈徒干利祿釣聲名取貴重而已若然庶不

負國家建學之意與司教
化者之望也其尚勉旃
先師廟明洪武中創立成化十二年教諭吾哻重修萬
曆丁巳陳庭策建東西廡戟門櫺星門
啓聖祠
名宦祠
鄉賢祠二祠俱在學門東隅明弘治十三年知縣胡昉
始置嘉靖二十九年移今處
射圃在學右山下
社學在縣治右明知縣蕭育建李大澗修扁曰養正館
設教讀一人

學田十頃有奇明知縣王之綱以絶戶餘田入學租三百六十石又按院宋纁贖銀五十兩置田塘二十四畝有奇租穀三十石督學徐鑾官銀一百兩置田塘二十二畝有奇租穀三十三石租銀五十八兩陸錢玖分一厘
新江書院在縣治南祀定山先生莊㫤南京禮部尚書湛若水建
江干書院在浦子口知縣余樞碑記
六合縣學在縣治西唐咸通中在滁河南光化中徙東門街北再徙縣治東宋治平中復徙城東臨河尋徙

縣西高崗上建炎兵燹紹興十四年暫寓縣東古宮舍遂因經藏廢院爲學二十九年復遷高崗故址紹熙四年知縣鄭續拓之嘉定七年劉昌詩重建明洪武五年知縣陸梅創立正統間史思古黃淵相繼修之祭酒陳敬宗有記成化五年唐詔修學士倪謙記之正德九年萬廷瑆修南京鴻臚卿王守仁記嘉靖三十年董邦政修之隆慶五年重建改向西南

國朝康熙六年知縣顧高嘉改制創修（陳敬宗記曰惟學校育才以德行爲先成周盛世以鄉三物教萬民教之六行六德然後教之六藝先其本而後其末也故其賓興之賢無非濟濟多士藹藹吉人焉聖朝崇尚儒術而以文學取士然其文皆出於六經聖賢五常之訓仁義忠

信之言所謂六德六行六藝之教即此而在非若唐
宋詩賦之比今之蒞其職者切切以興學校爲務式
覩盛美而凡講習於中者宜何如其用心哉事君必
思所以極其忠事親必思所以極其孝至於夫婦兄
弟朋友必思所以各致其極存之於心而不失措之
於躬而弗違見之於事爲而不可奪涵養純熟習成
自然克之以學問發之於文詞蓋無非六經聖賢五
常之訓仁義忠信之言與成周三物之教無以異他
日賓興又何愧於多士吉人哉系之以詩曰伊儒之
費迭更廢興聿崇新規顯嚴層宏惟聖有居於穆清
廟惟賢有廡赫其有耀鼓鍾於論講肄之堂朝學暮
書誦聲洋洋豆籩靜嘉禮樂攸備重覩盛美肅將祀
事隆師親友是習是諏昔也怠荒今則進修緇衣有
雅肉粟攸繼廩養豐潔非習之儷聖代右文督勵孔
勤樂育菁莪以陶以甄有偉名卿克相厥事作而新
之益振士氣青青子衿報稱何由敦德勵行不愧成
周翼翼其亭隆隆其碑於千百年斯文在茲　王宁
仁記曰甚哉誠之易以感民也甚哉民之易以誠感
也有司者賦民奉國鞭笞累縶不能得則反佐讐敵
之今縣尹學諭一言而民之應之若響使天下之爲

有司學職者咸若是天下其有不治乎此可以爲天下之爲有司學職者倡矣民之愛其財與力至競刀錐斬舉手提足寧殆其身而不悔今六合之民感其上之一言捐數十百金瘁精力爭先恐後使天下之爲民者咸若是天下其有不治乎此可以爲天下之民倡矣夫民敝於欲而厚於利苟有以感之然且不惜費巳之財勞巳之力以赴其上之所欲爲士者秀於民而志於民修其明德新民之學以應邦家之求固不費財勞力而可能也苟有以感之有不翕然而興者乎

先師廟在明倫堂前

啓聖祠在先師廟之左

名宦祠在啓聖祠左

鄉賢祠在啓聖祠右

射圃在學西今廢

學租嘉靖御史鄭光琬入房租銀二十三兩四錢有奇知縣茅宰邵漳教諭陳洪表置田二十四畝又置田地七十六畝又置丈量多餘田地七十九畝每年額租以供本學給貧生之用租銀四十四兩八錢五分四釐

社學在縣治東正德間捐其地於民別於四門各建一區

論曰學校之於人國大矣哉三代而上庠序尚矣兩漢以來尊崇儒術經學孔彰歷宋暨明彬彬乎盛矣其間豐功偉業炳烺天壤爭光日月者皆于學校之

功爲多焉

國朝詔尊孔子敬敷文教江寧首善之地風化尤爲四

方所觀瞻焉語曰十年樹木百年樹人樹人之功在

上以教在下以學教學相長大道孔昌矣

江寧府志卷之十一終

江寧府志卷之十二

科貢上

科貢之榮非以圭組繫籍聖賢溯源鄒魯名垂到今志希徃古維德維良拔十得五作科貢志

府學附郭上江并各衞

唐

進士

開元十五年

王昌齡少伯江寧人開元十五年進士補秘書省校書郎又

大曆

以博學弘詞登科再遷汜水縣尉有集五卷

許恩 江寧人開元中進士岑參有送許子擢第歸江寧拜親兼寄王昌齡詩任左拾遺

孫華 韓翃有送孫華及第後歸江寧詩

冷朝陽　上元人與錢起韓翃齊名翃有送冷朝陽登第後還上元詩

貞元八年　陳羽　陸贄下第二人登科歷官樂宮尉佐

會昌二年　項斯　子遷丹徒縣尉

南唐　盧郢　狀元以試王度如金玉賦擢第遷南全守頗著聲績

宋	進士	鄉舉 據金陵志得四人其年莫考
太平興國八年	洪湛 上元人五歲能詩通判壽許州知容彬舒州凡五使西北議邊要有文集十卷	王艮耜 安石後
慶曆三年	李琮 獻甫江寧人寧國軍推官知陽武江東轉運判官入爲大府卿轉刑部侍郎卒	戴俊卿
		謝克仁
		李時雨 以鄉貢進士上書乞擇宗室之賢者一人以係屬四海建炎以來言儲嗣者自時雨始

	張識 贈太師褒國公
	張諮
熙寧三年	葉祖洽 惇禮上元人狀元徽猷閣直學士墓在宣義鄉雁門山
熙寧九年	楊之道
	巫鉞
	江適道

	潘溫之
元祐二年	李回 少愚琮子參知政事封開國男
紹聖元年	許之美
崇寧二年	侍其瑪 江寧人崇寧三年監司薦其瑪經行爲鄉閭所推詔乘驛赴闕
崇寧五年	刁湛 上元人太常博士

大觀元年

刁湜

余稟祗若朝奉大夫述古殿直學士

朱昇

蔡敦禮上舍及第

秦濟上舍及第

段拂去塵中博學宏辭科紹興十一年以權禮部侍郎兼修撰十四年除起居舍人

壽除給事中

朱天任

大觀二年　霍廸

錢時敏　端脩江寧人治詩同上舍出身祕書丞駕部員外郎

政和二年　俞迎　上元人

政和四年　陳鸑　上元人

政和五年　范同　擇善紹興十年以權吏部侍郎兼國

史院修撰十一年除內翰仍兼前官尋除參知政事

政和八年
刁渭
朱端彥
朱震 潭州瀏陽令贈大中大夫
徐時升

宣和三年
魏良臣

朱元佐

陳秉成

鍾大方 上元人

宣和六年

何若 任叟治詩祕書郎監察御史

秦梓 江寧人楚材治詩敷文閣待制兼侍讀舊志作三年誤

刁繹 湛子

洪閧 湛子度支員外

郎直史館

建炎二年

錢周材　元英，江寧人，治詩，著作郎，直起居舍人，龍圖閣直學士

吳臬　上元人

趙震　上元人

王繹

戴巽

李朝正

紹興二年

紹興五年

張士襄

潘祺

王綸上元人十歲能屬文毘山主簿監察御史與秦檜論事忤其意罷之後爲中書舍人兼侍讀累遷同知樞密院卒謚章敏

朱端稟

刁約淮子直史部

紹興八年

巫孝立

鮑同

巫伋

紹興十二年

秦熺 伯陽江寧人本第一甲第一人以宰臣辭免充第二人為係省試上十人合升甲與還第一人恩例官禮部侍郎少師

秦昌時

秦昌齡　昌時弟

苗昌言

江漢

魏元若　江寧人。治詩賦。紹興十五年除著作佐郎。

紹興十五年　李珵　上元人

周麟之　茂振，江寧人。治春秋。正字起居舍人，後以翰林學士

紹興十八年
魏師遜 監修國史
鍾離松 江寧人
周彥
江賓王 國史院編修
鮑慎履 上元人

紹興二十一年
湯彥升
巫孝恭
莊震

紹興二十四年

秦塤 伯和江寧人第一甲第三人爲係兩府親屬依第一人恩例敷文閣直學士

秦焞

秦焴

葛掞 上元人

趙公彬

紹興二十七年

陳自脩 德新上元人治詩賦乾道八年

除正字

隆興元年 國華 上元人
乾道二年 李機 上元人
乾道五年 朱用泰 上元人
劉煒
沈鑑
乾道八年 錢閎
夏融
淳熙五年 柔文恭
張衡

淳熙八年	張逢辰
	吳柔勝 勝之溧水籍通判建康府祕閣修撰贈太師謚正肅
	何撝 中興館閣錄作剡字樹臣江寧人治周禮嘉泰二年除著作郎明年知泰州舊志作五年誤
紹熙元年	劉樞

戴錡上元人
耿戩
紹熙四年　孔蓋上元人
李巖上元人
李大同上元人
李岩
李秀實
慶元五年　汪瀛上元人
嘉泰二年　卞伯光上元人
成濵上元人

胡景愈 上元人

鄭震

嘉泰三年

衛熺

嘉定四年

王晉 上元人

鄭南 上元人

王逢

嘉定七年

朱應龍 上元人

吳淵 道父柔勝子資政殿大學士封金陵公置學田七千二百

七十八。見宋元志

嘉定十年
潘彙征
李芥
吳潛柔勝次子狀元。紹定中知政事，封許國公。有狀元坊在御街東錦繡坊。見宋元志
陳塤上元人。禮部第一人

嘉定十三年 楊成大上元人
沈先庚上元人
嘉定十五年 許思齊上元人
紹定五年 元宋興上元人
嘉熙二年 陳熙
陳仲謀
吳季申
淳祐元年 胡景龍上元人
淳祐七年 吳琪上元人
包秀實舊志作綵

定五年※

陳晟

陳昂

洪心會 上元人 淳祐十年

吳慶龍 上元人 寶祐元年

傅文振

潘孜

李㓂 琮孫屯田分司 舊志作景定二年誤

吳景伯 江寧人第 寶祐四年

一甲十七人治賦

李仲龍　江寧人第三甲二十六人治賦

朱大德　江寧人第三甲二十八人治賦

吳璞

開慶元年

張震龍　上元人

平天祐

朱紹遠　上元人虛曾孫舊志作元祐二

景定三年

年誤

趙定　上元人

朱明遠　處曾孫

董烈　知池州文清公槐後

房元龍　懷遠軍節度判官

趙崇回　句容知縣

楊公溥

元

進士

舉人

大曆二年
進士：李懋（鑿孫二甲進士饒州路鄱陽縣丞）
舉人：李桓（定孫至治三年中浙江省鄉試餘干州教授累官浙江副提舉以文鳴江東學者多傳之舊志作進士桓作旦並誤）

至正七年
進士：偰燾
嚴瑄
夏道山
趙旦（定孫作無考）

明

洪武十七年
舉人：陳恭（江寧籍靜誠先生遇子工部尚書）
歲貢：朱（藩府紀善學士侍郎宗人）

洪武二十六年
舉人：俞允（春秋魁見進士）
歲貢：王覘（僉事）

進士 舉人 歲貢 恩蔭

洪武二十七年

俞允　江寧籍　三甲第五十七人

洪武二十九年

建文元年

陶鎔　江寧籍　治易

李崇　江寧籍　治詩

于源　上元籍　治書

趙麒　江寧籍　治易　見題名記舊志作麟誤

張欽　上元籍　治詩

時泰　上元籍　治易

王憲　江寧籍　治易

李誠　江寧籍　治易

乙瑄　禮部郎中

顧爾行　主簿

許紳　訓導

永樂元年

王賓 江寧籍 治詩 知縣

吳觀 江寧籍 治詩

任安 上元籍 治詩

陳喜 江寧籍 治詩 舊志作善誤

方矩 上元籍 治詩

何潤 上元籍 治詩

王良 上元籍 治見

王仲壽 解元 見進

王賓 見巳卯舉人

永樂二年

楊勉　江寧籍三甲第三人庶吉士刑部侍

士

遲讓　江寧籍治易
曹廣　見進士
嚴璐　上元籍治詩
謝濟　江寧籍治詩
丁墉　見進士
楊勉　見進士
卞安　江寧籍治詩
范進　江寧籍

李義　知縣
鍾祥　訓導
顧鑑
張祺　見舉人
俞翼　訓導

郎

李時勉 江寧人江西安福籍三甲第三十四人國子監祭酒見鄉賢傳

王仲壽 江寧籍治易三甲第一百七十四人叅政

丁璿 仲衡上元籍治詩三甲第一百八十

永樂三年

一人庶吉士都御史

曹廣　江寧籍治易三甲第二百四十二人

趙益　見進士

唐經　江寧籍治易

沈維　江寧籍治易

盛衍　國子生見進士

張禎　江寧籍治詩舊志作禎誤

王畢　上元籍

永樂四年

趙益 江寧籍治書三甲第一百三人

永樂六年

永樂九年

盛衍 宗大江寧籍治詩巳丑中會試因上巡狩北京至是廷試

邢端 江寧籍

唐彬 江寧籍知縣

陳恭 江寧籍

姜壽 上元籍治書

史循 見進士

劉璡 見進士

永樂九年

二甲第三十人

劉麒 見進士

顧敬 上元籍治詩

陽清 見進士

王正 江寧籍治易

虞祥 上元籍治易

鄭璥 江寧籍治書

劉瑄 江寧籍治易評事

童文 見進士

永樂十年

陽清 景廉上元籍治春秋會試第四人廷試二甲第二十二人主事

史循 公序江寧籍治詩三甲第二十六人

劉璉 宗華江寧籍治

韓謙 江寧籍治詩

莊約 見進士

王本 上元籍治禮記

永樂十二年

詩三甲第五十六人御史戶部侍郎

宋拯　亞魁見進士
謝鑑　上元籍治春秋
徐貢　江寧籍治書
任祖壽　見進士
張益　見進士
宋敏　江寧籍治書
吳名　見進士
劉敬　江寧籍治春秋

永樂十二年

劉麒侍讀江寧籍治春秋二甲第三十人

姚堅子固江寧籍治春秋二甲第四十人

張益士謙江寧籍治書三甲第十八人翰

吳璘見進士

徐琳江寧籍治詩

姚堅見進士

朱鐩上元籍治易

林院侍讀學士直内閣死土木之難贈學士謚文僖士鄉賢傳見仕舉江

宋

拯 寧籍治詩三甲第二十四人長史

童

文 彦章上元籍治詩三甲第九十人員外郎

吴

璘 子玉江寧籍治

永樂十五年

春秋三甲第二百四十七人

永樂十六年

劉江　朝宗江寧籍治詩一甲第二人編修

施誠　江寧籍治詩

劉江　見進士

尹彌　見進士

徐榮　見進士

李幹　見進士

馮履　江寧籍治詩

以便養任九江學教授終長史

莊約 上元籍治詩二甲第四十六人庶吉士郎中

徐縈 上元籍治詩二甲第五十五人

永樂十八年

馬麟 江寧籍治春秋

胡玉 見進士

鄧序 江寧籍治春秋

永樂十九年

任祖壽上元籍治春秋三甲第十人

孫熙江寧籍治易
達旺見進士
張文昌上元籍治書
王俊上元籍治易
陸彥上元籍治詩
邵瀕江寧籍治易
李素江寧籍治易

永樂二十一年

李幹　江寧籍　治易三甲第五十八人

永樂二十二年

張祺　江寧籍　治詩三甲第二十九人御史

王政　上元籍　春秋魁

蔣勸　江寧籍　治禮記

陳昇　江寧籍

梅森　見進士

翟瑛　上元籍　治易

張祺　見進士

尹弼　上元籍治詩三甲第三十人布政使

吳名　江寧籍治詩三甲第四十六人

達旺　江寧籍治書三甲第六十人

徐晉　江寧人句容籍三甲第八十五人知縣

胡玉　上元籍治易三

宣德元年	甲第九十七人	黄榮　上元籍　治書	王芸　訓導
		師政　江寧籍　治春秋	呂英　教諭
		周忝　上元籍　治詩	張仕琛　通判
		吳善　上元籍　治易	沈顯榮　訓導
		雷和　上元籍　治詩	胡鎔　訓導
		徐復　江寧籍　治易	王璉　訓導
		王琮　上元籍　治詩	
		顧誠　江寧籍　治春秋	
		李瑛　江寧籍　治禮記	
宣德四年			

宣德七年

沈慶 上元籍治易

王麟 上元籍教諭國子監丞四川山東提學僉事

田盛 江寧籍春秋魁

王艮 江寧籍治書

盛璟 江寧籍治詩

徐昱 彥昭江寧籍治易國子監助教

耿純 江寧籍治詩通

宣德八年

宣德十年

楊森 仲芳上元籍治禮記三甲第三十五人參議

判

顧仲賢 上元籍治春秋訓導

談理 江寧籍治詩訓導

吳政 江寧籍治易

陶元素 見進士

正統元年

正統三年

陶元素 希文上元籍治易二甲第六人

孫本 上元籍長史

鄒幹 第十六九見進士

張信 上元籍治易第三十一人教諭

金潤 伯玉上元籍治易第三十八人南安知府

穆祺

都讓

金祥 州同知

郝賢 工部主事

施禮 教諭

正統四年

倪謙　克讓，上元籍，治詩，一甲第三人，編修，學士，南禮部尚書，贈太子少保，謚文僖。

鄒榦　宗盛，江寧籍，治書，三甲第二人，太子

陳禮　江寧籍，治易，第四十六人。

倪謙　第五十四人，見進士。

陳隆　訓導

嚴傑　王府紀善

正統六年

正統九年

少保禮部尚書

莊鑑　江寧籍治易工部郎中

王濬　文通上元籍易魁教授國子博士廣西提學僉事

沈琮　亞魁見進士

金鎬　上元籍治春秋通判

謝鎰　上元籍治春秋

正統十年

羅濂　江寧籍治書

孫達　廣洋衛籍治春秋學正

任敎　見進士

朱瑛　上元籍治書

劉鑑　江寧籍治詩

周欽　見進士

潘鏞　見進士

胡寬　禮記魁見進士

陳鉞　江寧籍治書

王惟善見進士

朱華見進士

童軒見進士

周清見進士

相廸上元籍

蔣敷順天鄉試見進士

正統十三年

沈琮廷器旗手衛籍治易二甲第三十六人御史四川僉事

江寧府志　卷十二　科貢

景泰元年

蔣敷 太醫院籍三甲第二人郎中

任孜 江寧籍三甲第七十三人知府

吳維 水軍右衛籍治禮記第九人訓導

徐毅 第十三人見進士

吳璘 第五十八人見進士

高仁 訓導

霍祐 戶部主事

高敞

張寶 訓導

楊達 教諭

王文通

張翃 評事

張翔 太僕丞俱文信益之子

見舉人

俞誠 上元籍治詩第六十六人

華泰

石正 江寧籍治禮記第一百五人蕭山教諭

凌文 第一百十人見進士

管澄 上元籍治詩第一百十二人舊志管作簡誤

胡正　上元籍治書第一百六十一人訓導

王琮　上元籍治春秋第一百六十五人教諭

羅瑄　上元籍治易第一百六十入人按察司經歷

錢賓　上元籍治春秋第一百七十一人

景泰二年

吳璘　廷潤上元籍治書二甲第十四人僉事

王璘　第一百七十六人見進士

顧俊　江寧籍治易第一百八十一人知縣

浦鏞　第一百九十五人見進士

田斌　順天鄉試見進士

朱華　文開上元籍治書二甲第四十六人僉事

童軒　志昂欽天監籍治書二甲第七十一人南京禮部尚書贈太子少保見鄉賢傳

周欽　守敬水軍右衛籍治禮記三甲第四人御史

田斌 錦衣衛籍三甲第七十九人

王惟善 惟善鷹揚衛籍治春秋三甲第八十五人行人

潘鏞 克鳴上元籍治詩三甲第八十六人知府

周清 本澄無錫籍治書三甲第一百十三

景泰四年

人御史

吳理治春秋第六人

潘傑第八人見進士

李應禎太醫院籍名甡以字行治書第九人中書舍人南太僕少卿

羅寧水軍右衛籍治禮記第十人

姚恒上元籍治書第

十四人

鄒和第十九人見進士

雍熙豹韜左衞籍治詩第二十人知州

江傑江寧籍治詩第二十七人知縣

鄧震上元籍治春秋第二十八人

莊潡第三十一人見

進士

劉瑀　金吾後衛籍治詩第三十二人知縣

方璟　上元籍治詩第四十八人知州

羅淮　第五十二人見進士

龍音　第六十五人見進士

沈瓚　上元籍治春秋

第六十五人知州

羅剛　留守後衞籍治書第七十九人知州

葛賁　上元籍第八十四人

羅麟　仲衎江寧籍治易第九十六人中書舍人廣東參議

金紳　第一百九人見進士

徐禮　上元籍治詩第一百十人

知州

強英　上元籍治書第一百二十一人教諭

朱貞　第一百八十二人見進士

侯廣　文郁江寧籍治詩第一百三十一人

府同知

高敏　上元籍治易第

一百四十六人知縣

林洪　上元籍治書第一百五十二人教授

蔡琮　水軍左衛籍治詩第一百六十八人知縣

盧雍　第一百八十一人見進士

施蘢　上元籍治書第一百九十二人翰林

景泰五年

浦鏞　延用上元籍治易二甲第二十四人知府

龍晉　遵敘水軍右衛籍治詩二甲第一百

費鏞　留守左衛籍治禮記第一百九十五人訓導

蔣敵　順天鄉試見進士

院待詔

十七人知府

潘傑 士奕上元籍治易三甲第二人郎中

徐縠 士弘上元籍治書三甲第四人僉事

胡寬 有容天策衛籍治禮記二甲第二十四人御史

羅淮 潤民江寧籍治書二甲第五十三人

參政

蔣　敵籍太醫院第八十三甲八十八人太僕卿

王　璘廷秀儀所籍治書三甲第一百四十三人副使

金　紳籍卿上元籍鄉貢潤子治書三甲第一百五十七人庶吉士刑科給事中南刑

景泰七年

部右侍郎

貝春 江寧籍易魁知縣

李慶 亞魁見進士

邵傑 江寧籍治春秋知縣舊志邵作郃誤

沈鍾 見進士

王徽 見進士

王玉 錦衣衛籍治書

鮑墠 上元籍治書知

縣

鄭禮　中夫江寧籍治易襄陽府通判南安知府

周昌裔　太醫院籍治春秋知州

徐廉　錦衣衛籍治書

甯璉　太醫院籍治易通判

周源　見進士

宋讓 惟和江寧籍治書單縣知縣

王浩 見進士

徐曦 江寧籍治詩教諭

曾徹 水軍右衛籍治詩知縣

趙智 明遠江寧籍治春秋教諭

李旻 榮陽江寧籍治

天順元年

李慶　崇善江寧人新昌籍治易二甲第八人

朱貞　惟正旗手衛籍治書二甲第四十八人河南磁州知州四川參議

鄒和　允達上元籍治書二甲第八十四人

詩南道御史雲南僉事

丁鏞　貢入監成化戊子鄉舉己丑進士

盧鏞　教諭

張珍　訓導

華彥高

方宜

顧言　見舉人

丁瑄

知州

莊潡 瑩中江寧籍鄉貢鑑子治書三甲第三十二人

知州

凌文 從周上元籍治易三甲第八十六人湖廣叅議

盧雍 廷佐江寧籍治書三甲第一百二十三人湖廣左布政使

任忱江陰衛籍，治春秋，第十人。

李穆虎賁左衛籍，治詩，第十八人。

易謙江寧籍，治春秋，第二十八人，長史。

李秉東第三十三人，見進士。

徐完第三十四人，見進士。

歐陽樂江寧籍治詩第三十九人知府

婁儉金吾前衛籍治禮部第六十七人

莊琳旗手衛籍治書第七十三人

金澤第七十七人見進士

唐寬第八十人見進士

任讓　錦衣衛籍治詩第八十七人

顧鑑　江寧籍治書第八十九人

童鄉　教諭江陰衛籍治詩第九十人

張禰　江寧籍治禮記第一百十一人

顧言　順天鄉試禮記魁教授

天順四年	王徽	尚衣衛籍丁丑中會試至是廷試治詩二甲第三人禮科給事中陝西左參議
	沈鍾	仲律上元籍治書三二甲第三十六人南禮部主事山西提學僉事副使
天順六年	任彥常	解元見選

張華　上元籍治書第二十九人知州

徐震　上元籍治易第三十九人知州

陳鏡　明遠太醫院籍治書第四十二人郎陽丹稜知縣武昌通判

李昌隆　文盛江寧

籍治書第五十二人寶慶府同知

蘇鏞留守前衛籍治書第五十四人教諭

李昊第七十八人見進士

陳瓛江寧籍治書第八十五人教諭

陳紋第八十八人見進士

天順八年

周源　德淵上元籍治書二甲第九人員外

張瑛　江寧籍治書第九十五人河間府同知

沈浩　順天鄉試見進士

孫義　順天鄉試見進士

倪岳　順天鄉試見進士

郎

倪岳 舜咨上元籍文僖公謙子治詩二甲第二十八人吏部尚書贈少保諡文毅見鄉賢傳

孫義 太醫院籍二甲第四十三人鹽運司使

翟瑄 太醫院籍二甲

成化元年

第七十人

張玘 錦衣衛籍三甲第三十二人按察使

俞灝 江寧籍春秋魁知縣

蔣誼 第十五人見進士

陶淵 江寧籍治書第二十八人

吳文度 第三十人

顧謙

姚玘 訓導

徐信 克誠江寧籍行都司經歷

戴景隆 縣丞

錢啓 衛知事

嚴瑛 通判

見進士

陳紀 府軍右衛籍治書第六十人

伊秉 第八十一人見進士

章玄應 留守左衛籍治詩第八十七人

吳儁 豹韜衛籍治春秋第九十六人

李禎 錦衣衛籍治書

李春 志仁上元籍建安縣丞

王洪 宗大江寧籍汜水教諭

陸忠 彥誠江寧籍高唐州判官

顧濂

劉源 知縣

沈庠 成化戊子順天舉人辛丑進士

成化二年

翟瑛 太醫院籍治 二甲第二十八人

徐完 用美昱子治易 二甲第三十七人御史江西僉事

唐寬 夫上元籍治

第一百一人知縣

陳鋼 堅遠太醫院籍治詩第一百二十七人黔陽知縣長沙通判

陸秀 世芳上元籍臨海訓導桐教諭武城知縣

陸厚 州判官

曹定 訓導

樊誠 衛經歷

郭晉

馮謙 教諭

鄭思誠

梁堅 推官

詩三甲第八十四人鄭州

王浩　德宏上元籍治易三甲第九十人庶吉士御史

金澤　德潤江寧籍治書三甲第二百四十六人南京右都御史

蔣謐　宗謐太醫院籍治書三甲第二百四

陳綱　有常江寧籍王府審理

成化四年

十九人金華推官南道御史

鄧存德第二人見進士

俞經第七人見進士

參雁水軍左衛籍治詩第十三人

沈鏜第二十四人見進士

曾昂第三十二人見

進士

俞雄 第四十三人見進士

金源 第四十八人見進士

丁鏞 第八十一人見進士

王欽 第一百七人見進士

張鑑 第一百一人

姚源　上元籍治書第一百十三人

莊溥　第一百十五人　見進士

顧景昌　文昭江寧籍言子習禮記第一百三十人贛州知府

沈庠　順天鄉試見進士

吳珵　順天鄉試見進

成化五年

李秉衷 德夫 江寧籍 治詩 二甲第五人 郎中

吳瑆 江寧人 順天大興籍 二甲第二十七人 戶部郎中

鄧存德 新之 欽天監籍 治詩 二甲第三十五人 知州

李昊 志遠 上元籍治

士

吳謙 上元籍 治易

成化七年

誥三甲第六十五人庶吉士檢討改南禮科給事中浙江左參議

丁鏞鳳儀上元籍治書三甲第一百二十二人南刑部主事興化府知府

薛端士莊江寧籍教諭南國子博士岷府

長史

張陞 留守左衛籍推官

曹玉 見進士

俞綸 留守左衛籍府同知

朱福 見進士

王進 見進士

姚昺 見進士

黃灝 見進士

成化八年

金源　大本，上元籍，治書，二甲第十八人，知州

沈景　時美，江寧籍，長史

任彦常　吉夫，江陰衞籍，治詩，二甲第二十九人，南戶部主事，福建提學僉事

沈鏞　伸威，上元籍，治書，二甲第六十三人

主事

黃謙鴻之江寧籍治易二甲第六十九人主事罷歸以醫起爲太醫院使

吳文慶篤之江寧籍治春秋三甲第二十五人南戶部尚書

朱禴天錫光祿寺籍治易三甲第七十五

成化十年

人

徐欽　第四十四人見進士

王鑨　犧牲所籍治書第二十三人

王勛　宗堯江寧籍治詩第四十八人鬱林知州

王朴　上元籍治易第六十一人

徐濂　欽天監籍治易

成化十一年

俞經 勉誠留守左衛

第七十五人

曾達 衛籍治詩第八十八人

王謙 江浦縣籍治書第九十八人通判

陳榮 上元籍治詩第一百四人知縣

姚黼 上元籍治易第一百二十二人知府

董宣

成化十三年

籍治書二甲第五十四人知府

姚昺 懋明錦衣衛籍治易二甲第七十六人南禮部主事知府

芮鑑 溧陽籍治春秋第四人府同知

李用文 衛籍治書第九人鹽運司同知

林芳 江寧籍復姓吳

青田縣訓導

貢監二十一訓導

治書第十二人莒州知州

沈智 衛籍治書第二十一人

沈希達 上元籍復姓朱治書第二十五人通判

周郁 衛籍治詩第三十七人

陳言 第五十七人見

進士

梅純第九十三人見進士

朱大用衞籍治詩第一百九人擢官

施堯臣上元籍靖子治書第一百十二人通判

徐璡第一百二十八人見進士

成化十四年

王欽 敬之上元籍治書二甲第十五人知府

伊乘 德載上元籍治易二甲第三十九人南刑部主事四川僉事

曹玉 德潤江寧籍治詩三甲第九十人副使

楊鐸 縣丞

成化十六年

王進[illegible]上元籍治易三甲第一百四十六人知縣

陳紋廷章上元籍治書三甲第二百十一人推官

張鑑明肅府軍衛籍治易三甲第二百三十六人郎中

蔣滂第十九人見進

陳義刑部照磨

士

喬衍衞籍治春秋第二十四人

劉子順衞籍治書第二十七人

潘珩重玉上元籍治易第二十八人傑子九江南康袁州三府同知

金麟壽第五十六

人見進士

徐雲上元籍震弟治易七十九人

湯佐衛籍治詩第八十四人

梁德宏金吾衛籍治詩第九十人

熊宗德第九十六人見進士

王敞第一百六人見

進士

童璀 衞籍治詩第一百十六人

鄧澤 汝霖江寧籍治詩第一百二十四人震子通判

吳彥華 第一百二十九人見進士

胡璟 希宗第一百三十人見進士

成化十六年

胡璟 希宋江寧籍治詩二甲第五人知府

吳彥華 汝和留守後衛籍治易二甲第九十一人戶部郎中

錢鑑 江寧籍治書第一百三十一人

王世禎 衛籍治詩第一百三十二人

倪阜 順天鄉試見進士

楊茂 訓導

浙江左布政

沈庠 尚倫上元籍治易由貢中戊子順天鄉試二甲第九十二人貴州提學副使

王敞 漢英錦衣衛籍治詩會試第三八二甲第九十五人兵部尚書太子少保

梅純 一之孝陵衛籍

成化十九年

治書三甲第九十七人知縣後襲指揮使至中都留守

熊宗德 天申錦衣籍治書三甲第一百十九人知府

徐欽 錦衣衛籍江寧

馬驥 第十人見進士

曾瑛 龍江右衛籍治易第五十七人都督

甘應奎 文宿江寧籍教諭

府經歷

潘絡 第六十二人見進士

吳濟 太醫院籍治詩第六十五人

胡拱 第七十七人見進士

傅綬 豹韜左衛籍治易第八十人

楊溥 第八十人見

進士

夏聰上元籍治易第九十五人

趙淮籍治易第一百一人

張志淳雲南解元見進士

成化二十年

張志淳江寧人金齒衛籍二甲第四人戶部左侍郎

史昊京衛經歷

馬瓛公信錦衣籍治易二甲第二十九人員外郎

俞雄文偉留守前衛籍治書以桂陽州學止中會試三甲第十人太常寺丞

莊溥彥博江寧籍治書三甲第一百六十六人宗人府經歷

成化二十二年

陳言 第之上元籍治易三甲第一百八十三人

潘絡 克理欽天監籍治禮記三甲第一百九十八人主事

陳鎬 解元見進士

張琮 第十六人見進士

鄒禮 以和江寧籍治

鍾山

禮記第十八人知縣吉生

徐夢麒江寧籍治易第二十七人教諭撫寧知縣

顧潤上元籍治書第三十五人教諭

陳欽鍋弟第三十七人見進士

錢灝第七十一人見進士

鄭允宣　第九十一人見進士

張紡　江浦籍瑄子治易第一百十四人教諭

井康　德裕江寧籍治詩第一百十五人教諭

郭蒙　上元籍治易第一百二十四人

成化二十三年

陳欽 亮之欽天監籍治書二甲第七人廣東提學副使見鄉賢傳

陳鎬 宗之欽天監籍治書二甲第十四人巡撫副都御史[illegible]有

徐繼宗 江寧籍治書第一百三十一人暘谷知縣

王惟德 教諭

賢傳

張贊 錦衣衛上元僉事

倪阜 舜薰上元籍文信公謙次子治易二甲第四十一人庶吉士四川右布政使

魯昂 廷瞻江寧籍治詩三甲第十六人兵科給事中

本頁原模糊，現據南京圖書館藏《康熙江寧府志》（清康熙七年刻本）補頁。

弘治二年

蔣瀅 權溧上元籍治書會試第二人廷試三甲一百七十七人南吏部主事江西左參議

錢灝 景宗留守後衛籍治書二甲第二百二十九人參議

凌雲翰 第六人見進士

龍雨 民望江寧籍訓導教諭

童時 尚書軒子知縣

王階 晉生江寧籍治詩第二十五人知縣

王彪 羽林衛籍治詩第三十八人府同知

王翰 廷用江寧籍治書第四十二人通判

羅鳳 第四十七人見進士

陳英 上元籍治詩第五十八人教授

桑義 學正

王恂 誠之訓導教諭

湯景賢 教諭

楊天錫

許紘 教諭

錢禎

李儒 訓導

童鉄

王緒 弘治壬子舉人

孫毅 弘治甲子順天

倪霦 文懿岳子知府

金述 右都御史澤子郎中

王顏　廷表，江寧籍，治書第五十九人，益府長史

陳玠　上元籍，治春秋第一百十一人，知縣

周晃　錦衣衛籍，治易第一百十四人，知州

施懋　上元籍，治詩第一百十五人，知縣

李禎　錦衣籍，治書第

舉人

張綬　訓導

吳章　文煥，江寧籍

藍英　弘治甲子舉人

李聞　弘治壬子舉人

魯逵

黃瑄

徐珍　立之，江寧籍，孟縣教諭

錢鉞　訓導

弘治三年

胡拱　維辰府籍治軍左衛甲第三十六人叅政

張琮　廷獻江寧籍文信公益從孫治易二甲第六十人南京右都御史

徐璡　信之江寧籍完從子治易三甲第六

一百十六人

朱鸞　訓導

王璟　通判

任德　仲脩衛經歷

杜綱　教諭

劉瑄　訓導

楊正　教諭

趙符　訓導

周賢　衛經歷

沈綸

弘治五年

十四人戶部主事浙江參議

吳大有第三人見進士

龍霓第八人見進士

李熙第六十人見進士

李儀第六十一人見進士

丁[illegible]士元籍溧陽第

七十四人

璿孫知縣

劉麟　第七十五人見進士

張宏　第七十六人見進士

李章　第八十人見進士

邵清　士廉江寧籍治易第八十二人教諭按察御史僉事見鄉

賢傳

齊賁　管轄所籍治書第九十一人知縣

陳諡　上元籍治書第九十八人知縣

鄭讓　第九十九人見進士

王縉　紹夫江寧籍治易第一百十八人知府

順治六年

鄭允宣 嘉言上元籍治禮記二甲第四十九人叅議

李儀 公著上元籍治易三甲第一百三人

李問 上元籍治易第一百二十七人國子博士

殷鏊 第一百三十五人見進士

順治八年

顧璘 第十四人見進士

鄭瓛 第三十人見進士

高節 第七十四人見進士

何宗伊 龍江衛籍治易第七十五人知府

梁材第七十九人見進士

范邦彥特奏江寧籍治書第九十三人除寧教授

林元吉龍江右衛籍治春秋第一百三人知州

蔣達第一百六人見進士

弘治九年

吳大有元亭上元籍僉事麟子治書二甲第三十四人參政

祁亨時泰江寧籍治書第一百七人知府

宇賓龍虎衛籍治易第一百十七人長史

袁經府軍衛籍治易第一百三十人

金達浙江處魁見進士

高節　介夫，上元籍，治詩，二甲第三十九人，參政。

龍霓　致仁，牧馬所籍，治書，會試第二人，廷試第二甲第五十二人，僉事。

金達　江寧籍，都御史澤之子，三甲第十九人，僉事。

李熙　師文，上元籍。參議吳子治書三甲第七十二人，將樂知縣，南道御史，浙江按察副使。

羅鳳　子文，水軍右衛籍。治書三甲第一百三十二人，南道御史，石阡府知府。

楊濟　靜夫，留守後衛

遊治詩三甲第一百四十二人知縣

顧璘華玉上元籍治易三甲第一百五十一人南刑部尚書

劉麟元瑞廣洋衛籍治詩三甲一百六十一人工部尚書贈太子少保謚清惠

弘治十一年	
	金麒壽仁甫上元籍侍郎紳子治書三甲第一百七十六人
	李璞龍江右衛籍治易第九人知縣
	趙顯榮衛籍治書第十八人國子監丞
	姚隆第十七人見進士

劉楷 衛籍治禮記第二十六人

王本 立之江寧籍治書第四十三人國子監助教

顧欽 上元籍潤子治易第八十三人知州

史艮佐 第八十五人見進士

許文顯 淳夫江寧

籍治書第九十三人

華綸廷言江寧籍治易第一百九人知縣

易蓁第一百十一人見進士

景暘第一百十七人見進士

[illegible]八

金鏡上元籍治易一百二十七人知縣

陳綸上元籍治易一

二年十

張宏 子容耐策衛籍治書二甲第三十九人主事

史良佐 禹臣太醫院籍治易三甲第七十八人御史副使大用金

梁村 吾右衛籌三甲第八十五人戶部尚書贈太子太

百三十七人教授

弘治十四年

保諡端肅

鄭瓛 信卿驍騎右衛籍治書三甲第八十八人新喻知縣山東運使

張儉 府軍衛籍治詩第十五人知縣

王僉 第二十八人見進士

吳伯灤 江陰衛籍治詩第三十八人知

縣

陳沂　第四十八人見　進士

金賢　第六十六人見　進士

邵鏞　第七十一人見　進士

金冔　上元籍治易第七十五人　推官

劉弼　第七十七人見

進士

錢禎 府軍衛籍治詩第九十二人

李文泮 錦衣衛籍禎子治書第九十三人知縣

羅興 江寧籍麟子治易第一百一人

李璨 上元籍治易第一百十七人長史

弘治十五年

殷鏊 文濟，羽林左衞籍，治詩，二甲第九十三人，僉事。

劉瑀 邦直，錦衣衞籍，治書，三甲第十九人，知府。

凌雲翰 伯遠，上元籍，參議文子，治易，三甲第九十七人，德化知縣，金州知州。

弘治十七年

姚隆 原學留守後衛籍治詩三甲第一百三十八人新昌知縣荆州府知府

金賢 士希江寧籍治易三甲第一百三十五九人中延平府知府給事

王韋 第三人見進士

黃琮 第十人見進士

楊鯛 第十二人見進

工

周金 第十七人見進士

藍英 本和江寧籍治易第十八人金華府推官

張瓚 上元籍治書第三十人

莊饑 旗手衛籍琳子治書第五十七人提

畢

沈環　第八十四人見進士

黎虞　驍騎衛籍治詩第八十九人知縣

楊謙　衛籍治詩第九十八人

陳諭　上元籍治書第一百七人教諭

吳瑛　衛籍治詩第一

百二十四人

羅仁　上元籍治易第一百二十五人教諭

俞徵　留守衛籍綸了治書第一百二十八人

王漢　江寧籍治書第一百三十三人

强毅　致遠上元籍鄉貢英子順天鄉試推

弘治十八年

沈環 上元籍復姓朱 鄉貢希達子治書二甲第二十九人南戸部郎中

官

王韋 欽佩錦衣籍治易三甲第八十六人參議徵子庶吉士南吏部主事河南提學副使太僕寺少卿

黃琮 元貫上元籍治

詩三甲第
一百五十
人長史

江寧府志卷之十二終

江寧府志卷之十三

科貢中

正德二年

李漢 欽天監籍治易第十二人　李儒 承恩江寧籍定海教諭

何鉞 第十五人見進士　王錦 延美江寧籍　王壽 仲仁江寧籍

劉宗啓 留守衛籍治易第二十六人知縣　楊欽 訓導　王鑾 見正德辛未進士

吳富 衛籍治易第三　宋顯忠 訓導

倪廣 文[illegible]孫[illegible]　倪澤 文俊孫[illegible]　主事

十四人 蕭雍
伊伯熊上元籍乘之子治易第五十二人府同知 潘瀠
何景哲訓導
宋熊王府教授
周南文化列林右衛籍治詩第八十七人鄭州 劉玠府經歷
薛萬鍾
邢官訓導
羅幹第九十五人見進士 錢澍
朱華教授
陸璽通之上元籍治 周倫

正德三年

景暘　伯時上元籍治易一甲第二人翰林院編修司業左中允

鄭謙　信之江寧籍治詩二甲第二十六人運使

易第一百十七人安鄉知縣荆門州知州府軍備

王浩　籍治易第一百三十人知縣

李景星

朱昕　訓導

紀達　訓導

吳珍　教諭

陸紘　訓導

姚承學

王瀹　訓導

呂華　訓導

傅巖　訓導

陸庸　訓導

周金 子庚府軍右衛籍治詩二甲第四十人戶部尚書贈太子太保謚襄敏

邵鏞 伯倫溯林右衛籍治書二甲第六十一人副使

羅輅 質甫江寧籍鄉貢麟子治易二甲第

王謹

趙智

周賢

沈綸

王釗 訓導

夏勛 訓導

鄔經

五八錄學仕至大理寺少卿

易蓁　士美錦衣衛籍治書三甲第一百五十人知府

蔣達　文學留守後衛籍治詩三甲第二百十四人嘉興知縣南遷御史宸濠叛以死勤事贈光祿寺少卿

十[illegible]五

童楷　第九人見進士

趙守　高淳籍治詩第三十二人教授

王鑾　第三十九人見進士

蔣獻　留守衛籍遼子治詩第四十二人知縣

韓懨　孝陵衛籍治詩第[illegible]人

李蒸 上元籍璨子治易第六十四人

張明儒 錦衣衛籍治易第六十六人知州

王以旂 第八十四人見進士

張烈 右軍都督府籍治易第九十一人郎中

正德六年

李重 元任金吾後衛籍治詩二甲第十八人戶部主事江西副使

王鑾 汝和錦衣衛籍治易二甲第七十八人吏部郎中

劉紀 旗手衛籍治易第一百一人府同知

王介 守之留守前衛籍，治易，二甲第八十九人，僉事。

何鉞 勲伯，江寧籍，治詩，三甲第十二人，御史，知府。

王以旂 士招，江寧籍，治書，三甲第四十八人，兵部尚書，贈太保，謚襄敏。

正德八年

尹賢太醫院籍治易第三人仰縣

顧璵第十九人見進士

何遵第二十六人主事見進士

沈觀上元籍庠孫治詩第六十人知縣

陳府第六十二人見進士

徐九經江寧籍完子治易第八十三人遂昌知縣

徐九疇錫之江寧籍完子治易第九十五人鄉平知縣

陳紹宗江寧籍治書第一百四人

王宗江寧籍治詩第一百二十七人

正德九年

顧璵 英玉上元籍璘從弟治易二甲第七十人南兵部郎中河南副使

雷應龍 上元蒙化衛籍雲南魁御史

鄭琦 江寧籍治詩第一百三十二人知州

李僑 承高江寧籍旻之子治詩第一百三十五人

正德十年

何遵寧籍治易三甲第二百四十八人工部主事建言廷杖卒贈尚寶司卿

童楷養正上元籍鄉貢文孫治易三甲第二百五十人教授

鄭濂第三十三人兄進上

錢文 府軍衛籍禎子治詩第五十四人通判

楊森 衛籍治詩第五十六人通判

章秀 上元籍治易第七十二人知縣

丁暘 錦衣衛籍治易第八十四人教諭

江鯤 進之江寧籍治

正德十二年

陳沂 魯南太醫院籍鄉貢鍘子治詩二甲第五十七人翰林院庶吉士編修侍講山西行太僕寺卿

楊翀 雲鳳江寧籍治

易第一百二十四人府同知

江鎮 定之江寧籍中順天鄉試通判

正德十四年	易三甲第十八人長史
	沈愿 復之錦衣衛籍治易第七十九人知縣
	司馬泰 第八十七人見進士
	王璽 特升上元籍濟孫治易第一百一人
	吳惠 仁夫江寧籍治詩第一百八人知縣

正德十六年

嘉靖元年

趙兌 上元籍府江人參政

王文光 有孚留守衛籍治易第一百十七人御史知府

蔣繼蓍 巽之上元籍治易第一百二十一人

汪鑾 拱辰籍治易第十六人知縣

鄒經

何衢 推官

何世守 贈心卿遵子員外郎

金清第二十三人見進士

李景星

鄭淮第七十二人見進士

朱璐上元籍鄉貢希達子教諭

李觀第一百人後姓甘見進士

童顏豹韜左衛籍治詩第一百十人教諭

張偉上元籍治詩第一百三十一人

張懋右衛舉子通判

梁山子石村

周佳子德卿

司馬泰 魯瞻江寧縣籍治易二甲第八十四人御史貴州副使

鄭淮 睢東上元籍治書二甲第九十五人知府

陳府 孔脩上元籍治詩中庚辰會試至是

張合 雲南解元見進士

許伸 艮直江寧籍教諭

孫鏜 廷振江寧籍通判

金軒 錦衣衛籍學正

管景 子山上元籍江西布政司檢校

嘉靖四年

廷試三甲第六十九人南道御史

鄭濂 師周江寧籍鄉貢禮孫治易三甲第二百六十一人行人御史湖廣副使

陳鳳 第七人見進士

子有

金大輿 上元籍賢子子治易第十六人

伊敏生 第二

馮鎮 知縣

唐儒 教諭

薹林 欽天監籍訓導

朱珥 上元籍瑶弟推官

金大輿 子有上元籍賢子治易第十六人

伊敏生 第二

馮鎮 知縣

唐儒 教諭

藍林 欽天監籍訓導

朱珥 上元籍瑤弟推官

張鐸第五十一人見進士

張詰龍驤衛籍治書第六十一

盧璧第八十四人見進士

高遠近思江寧籍治易第一百五人府同知

謝少南第一百十

嘉靖八年

嘉靖十年

金清廉夫上元籍治詩三甲第一百六十八人御史參政

八人見進上

張恕惟行江寧籍琮子治易第一百二十二人僉事

金淳仁夫上元籍清弟治詩第一百三十四人府同知

殷邁第三十八人見進士

宋綱學正

趙綸教諭

王庭訓導

盛箴教諭

薛玉林清之江寧

余光第五十人見進士

鄭河第五十九人見進士

葛清惟元孝陵衛籍治易第七十七人教諭

童曉升之豹韜衛籍治詩第七十八人光州知州長史

籍鄉[illegible]子治書[illegible]陽王府教授

雍達訓導

宋溥元博錦衣衞籍治易第一百六人樂平知縣

王可大第一百十九人見進士

金翰受夫上元籍治詩第一百二十一人

湯轆之伊龍江衞籍治書第一百二十四人新會教

嘉靖十年

謝少南　應午上元籍治易二甲第十六人主事改御史又改司直郎檢討終布政

楊成　金鄉留守中衛籍治詩二甲第七十

向鎬　清甫上元籍治易第一百二十九人知南豐光澤連江古田四縣

張晃　訓導

黃銳　教諭

馬應龍　承進江寧籍選貢知縣

王之訓　府學衛籍浙江選貢州判

人南兵部主事嚴州府知府

余光勝之江寧籍治書三甲第一人評事御史

沈越中甫江寧縣人治易三甲第九十四人知羅田平江二縣選御史忤旨謫開州判官德安同知

孫瑨教諭

夏仲州同知

黃炎暴見癸卯舉人

劉達建文國子學錄

伊鯤

化上元籍錦衣事來孫洽場中巳丑會試至是廷試三甲第一百七十五人知縣御史

張合

懋觀江寧人雲南永昌籍戶部侍郎志薦子二甲第六人歷戶兵吏部主事員外湖廣副使

嘉靖十三年

王之省 府學衛籍浩子治易第六人知縣

劉勳

張祥 見辛丑進士

陳芹 子野羽林衛籍治易第九十四人崇仁教諭知奉新寧鄉二縣

張鉞 江浦籍瓊子治易第一百一人知縣

陳時[illegible]孟錫[illegible]太醫

嘉靖十四年

許穀 仲貽上元籍治書會元二甲第十一人戶部主事歷禮部吏部南大常少卿尚寶卿

院籍沂子治詩第一百二十八人淄川知縣

金沂 源夫江寧籍知縣

凌雲 江寧籍知縣

吳卿

馬汝僕 見壬子舉人

嘉靖十六年

陳鳳 元舉留守後衛籍治詩三甲第五十人刑部主事陝西僉

廖文光 上元籍郎中

事

嘉靖十
衛籍

盧璧 國賢羽林右衛籍治詩二甲第三十三人南戶部主事外

甘節 府軍右衛籍治易第三十四人通判

陸彬 衛籍治易第五十九人知縣

林一鳳 第一百十四人見進士

張祥 山東鄉試見進士

胡倬 教諭

周瓛 王府教授

金鏜 錦衣衛籍軒弟 教諭

王儁 訓導

張鸞

林桂芳

殷遷 在亳侍郎邁兄 訓導

華晃 江寧籍 訓導

嘉靖十九年

府[illegible]馬少
贈

王心 龍江右衛籍三甲第二百十九人主事

阮垕 第七十七人見進士

顏芳 世襲府軍右衛籍治書第八十三人

陸銘 自新上元籍易台州府訓導

李爵 訓導

伊伯羔 上元籍伯熊弟訓導

張鏜 訓導

溫伯琪 江寧籍訓導

周標

王臯

知縣

朱文質卿上元籍治易第九十一人知縣

梅恒孝陵衛籍純子治書第一百二十九人知縣

周儒汝珍上元籍治書第一百三十四人知州

路伯鏗第一二

童登訓導

嘉靖辛年

林一鳳 仙羽 龍江右衛籍復姓邢治書一甲第三人翰林院編修叅政

殷邁 時訓貫江寧縣人治易二甲第六十四人南京禮部右侍郎掌祭酒事

十五人見進士

邵應鳳 江寧籍清子

蔡銳 見丙午舉人

顧嶼 懋涵上元籍尚書璘子

符嵩 訓導

張祥 元吉，錦衣衛籍，治易，三甲第五十七人，陜西副使，苑馬卿。

阮屋 德載，江寧籍，治易，三甲第六十八人，南兵部郎中，江西僉事。

路伯鐘 元振，龍江右衛籍，治書，三甲第一百十三人，行人。

嘉靖二十二年

張鏜 □照□ 守□衛籍治易三甲第一百六十五人庶吉士御史兵備副使

馬汝喬 誠履 錦衣衛籍治易第三十六人桂東知縣

沈九思 順貞 上元縣籍治書第六十九人

張思

蒲璧

盛時春 啓元上元籍治易第九十四人知縣太僕寺丞

吳士進 汝裕錫莪衞籍治禮記第一百九人曹州知州

黃學 第一百二十四人見進士

黃炎長 中順天鄉試

嘉靖二十三年

甘觀　府軍右衛籍治易三甲第六十三人評事

鄭河　師程江寧籍副使濂弟治易三甲第一百三十五人岳州府推官

嘉靖二十五年

向贇　長史

梁楹　汝楹府軍後衛籍治詩第九十四人

徐鳴琪　朝璽江寧籍治易鄉貢夢麒子

宋欽

張志　惟立江寧籍都御史琮子

知縣知州府同知荆府長史

鄭重

周儀

李傑

張懷

蔡鋭 抑之留守左衛籍治易第一百七人河南通許知縣改杭州學教授襄府紀善

潘暘 立卿乚元籍治易第百二十人雲南麗江府同知

李秭 嘉樹金晉從龕

籍□子治詩第十百二十七人府同知

薛盤徵侑府鎮左衛籍治詩第一百三十二人

蔣山沂鎮太醫院籍治書第一百三十三人通判

劉安節承道江寧籍治易第一百三十

嘉靖二十六年

嘉靖二十八年

戴愬 江陰衛籍知府

四人南工部員外郎

戴愬 天長學見進士

俞璉 衛籍治詩第二十八人[illegible]官

字澤 羽林左衛籍參隊

周珊 龍虎左衛籍治易第三十八人知縣

何汝[illegible]籍第八十二人見進士

戊[illegible]進

嘉靖二十九年

嘉靖三十一年

黃甲 首卿上元縣籍治易二甲第三十一人南吏部主事

士

朱潤身 第一百三人見進士

呂鏵 衞籍治詩第一百二十人南戶部郎

楊璧 上元籍治易第十五人通判

潘壽

馬詡 教授

李深 子靜江寧籍台州訓導

劉陞 教諭

馬汝僎誠葦錦衣衛籍治易第十九人慶元知縣

胡汝嘉第二十六人見進士

鄭守矩汝方號騎右衛籍嶽子治書第三十一人南城教諭邵陽知縣

柳昱籍治易第

四十人

尹繼皋 籍治詩第九十一人知縣

嘉靖三十二年

何汝健 留守左衛籍治詩二十甲第二十九人知州浙江參議

胡汝嘉 懋禮鷹揚衛籍治詩二甲第五十七人翰林院庶吉士編修副使

張瀾 教諭

嘉靖三十四年

王可大 元衛錦衣衛籍郎中鑾子治易二甲第八十三人刑部主事歷台福瓊廉四府知府

周易 惟時孝陵衛籍治書第三十七人府同知

王肖徵 殷卿錦衣衛籍可大子治[illegible]弟

嚴明

四十五人

楊家相　第四十九人見進士

陳時偉　元晉太醫院籍治易第五十七人府同知

姚汝循　第五十九人見進士

鄭守益　汝時號騎衛籍廩子治書第六

十三人鎮江府推官

朱文盖子謙衛籍治禮記第七十一人雲南曲靖知府

劉桂聯芳上元籍治易第八十二人知縣

金鸞應祥衛籍治易第一百十五人知縣

段文億上元人雲南昆明籍教諭

十五年三

十七年三

姚汝循 叙卿錦衣衛籍治易三甲第六十四人河南杞縣知縣大名府知府

鄭廷年 上元人雲南楊林所籍通判

李鑌 孟堅上元籍治易第十五人

吳之儒 道卿江寧籍治禮記第二十七

靳儒

周維南

邵于磐

人通判

叢文蔚第四十人見進士

張來鳳養梧府軍衛籍治書第五十八人教諭

李逢陽第六十九人見進士

黃尚質宗商水軍左衛籍治易第八十

七人學正丙子監博士峽江知縣饒州府通判

金禹　承光江寧籍遠孫治易弟一百二十人

王惠　上元人廣西桂林中衛籍教諭

雷學皐　上元人雲南臨安衛籍知州

嘉靖三十八年

皮豹 文蔚上元籍治易二甲第四十九人工部主事員外郎廣州府知府

侯必登 上元人雲南廣南衛籍知府

嘉靖四十年

殷康 汝錫侍郎邁侄治易第二十五人漳州府同知

伊在庭 ……縣……

何適 欽天監籍御史鉞子

徐昺 汝晦江寧籍瀏廣永州府推官

李承慶

嘉靖四十一年

朱潤身 德光江寧籍治詩二甲第八人南吏部主事兵部郎中僉事

進十

鄭宣化 第六十三人見進士

殷序 汝明禮部侍郎薦子治易第一百十四人

張祉 錦衣衛籍副使祥弟教諭

曹九成 歸安訓導

顧巖 懋石上元籍治

十三年　四

吳自新第八人見進士

易新樂縣教諭

焦竑旗手衛籍治書第五十三人見進士

柴芳教授

李夢相興國水軍衛籍治書第八十五人知縣

沈賢訓導

侯全爵懋修鷹揚衛籍治詩第九十一人知縣

余孟麟　第九十四人見進士

趙經　汝文留守衛籍治易第九十五人知府

朱衣　正伯錦衣衛籍治易第一百二十人臨淄鄖西房縣知縣沅州知州

董守緒　懋承欽天

嘉靖四十四年

伊在庭 會魁 敏生子員外郎

邵元哲 上元人貴州普安衞籍知府

楊家相 舜卿 江寧籍治易三甲第五十

監籍治易第一百三十二人蓬萊縣知縣

陳大立 江寧人雲南廣南衞籍知縣

繆仲選 教諭

李登 士龍上元籍治易河南新野知縣

八人知縣
御史副使
李良臣人貴江寧
州普安衛
籍行太僕
卿

鄭宣化行義龍江
左衛籍治
易三甲第
二百二十
六人袁州
府推官邵
武府知府

隆慶元
年

姚文芳世美錦衣
衛籍治詩
第十九人

任芳用書
秦憲教諭

府教授

卜履吉 第五十四

人見進士

路九同 通貞龍江左衛籍伯鑑子治書六十二與人通山縣知縣

宋存德 第五十九

人見進士

顧九德 常卿錦衣

隆慶二年

李逢陽　維明金吾後衛籍治詩二甲第四人戶部主事禮部郎中

吳自新　伯恒江寧

衛籍治書第一百二十一人袁州推官

金元初　元予江寧籍治易第一百三十人知奉新遷安二縣

俞介　直之廣洋衛籍治易台州府教授

金鯤　訓導

王楫　子行江寧籍治易汀州府通判

除廣西年

籍治書二甲第六十九人南京刑部右侍郎

叢文蔚 豹卿錦衣衛籍治易三甲第一百四十七人烏程知縣

卜鏜 振之江寧籍治易第一百二十人禹州知州

李泰 衛籍治詩通判選貢

張銳 士進治易知縣選貢

焦瑞 伯賢旗手衛籍治書靈山縣知縣選貢

李藻 文叔上元籍教諭

李蓍 欽天監籍教諭

隆慶五年

宋存德惟錦衣

吳伯誠江寧籍文度孫治詩第一百三人推官

王橋第一百六人見進士

張國輔第一百三十人見進士

徐世隆上元人雲南後衛籍教諭

伊直生上元籍伯羕子治易訓導

衛籍鄉貢湖子治易三甲第二百一人知安丘縣累官僉事

萬曆元年

蕭崇業 上元人雲南臨安籍左給事中

阮尚賓 江寧人雲南太和籍知縣

薛應和 子融江寧籍治易第二十二人教諭成安知縣

呂懷忠

楊希淳 道南上元籍治易

張懋緒 錦衣衛籍治禮記

宇濚 明仲羽林衛籍澤弟治書

王職 上元籍治易

王允學 江寧籍治書教授

顧峻 尚書璘子宗人府經歷

萬曆二年

余孟麟　伯祥，江寧籍，御史光子，治書，一甲第二人，翰林院編修，南國子監祭酒

王樵　公濟，上元籍，治

范恩正　太醫院籍，治易，第八十三人，全州知州

董學[illegible]　第一百二十四人，見進士

劉文邦　高淳籍，訓導，恩貢

方煥　應揚衛籍，訓導，恩貢

盛時泰　仲交，上元籍，太僕丞，時春弟，治易

胡伯翺　彥羣，治易，上元籍，河南河池縣

王管　行卿

王籥　通判

王篚　都院照磨

王竹　推官[illegible]，襄敏以旂子

倪民悅　文毅岳曾孫，知縣

劉[illegible]　尚書麟子

萬曆四年

詩二甲第五十五人刑部主事左布政使

張國輔 惟德金吾後衛籍後姑衢治詩二甲第六十一人刑部主事浙江副使

張後甲 第七人見進士

沈鳳翔 第十八人

訓導

沈鯉飛 時鳴衛籍治書

馮時鳴 衛籍治易

金民 子美留守後衛籍鑫縣主簿

萬夢桂 徵儒上元籍治春秋崇義縣知縣

萬曆七

見進士

何湛之 第一百一人見進士

何淳之 湛之弟第一百二十五人見進士

黃鶴鳴 和之上元籍治易第一百三十一人

錢濬 第四十七人見

李學 治易　籍

丁璽 伯符龍江右衛籍訓導

顧儒 府軍右衛籍鄉貢芳子治書

王之卿 應揚衛籍

萬曆八

錢濬 啓祥上元籍治

進士

許天敘 錫卿上元籍尚寶卿穀孫治書第八十人滁州知州

陳舜仁 第八十八人見進士

湯有光 孟發上元籍治詩第一百人南禮部司務瑞州知府

治易訓導

蔣孟倫 敘卿上元籍治書常德府通判

郭濂 本周江寧籍治書開封府通判

張光實 原務江寧籍治易

于鉉 籍治易教

萬曆十年

易二甲第三十三人工部郎中

張後甲 丁也鷹揚衛籍治詩中丁丑會試至是廷試三甲第十四人四川左參議

沈天啓 [illegible]大人見 進士

授

陸鶴鳴 九皐旗手衛籍治易奉化知縣

劉仕義 時卿留守右衛籍治易溫州府教授

張照 子明錦衣籍治易祥子禹州學正

吳仲誥 上元籍教諭

萬曆十一年

何淳之 仲雅 留守左衛籍治詩三甲第十六人御史

陳舜仁 純甫 上元籍治詩三甲第一百

黃夢麒 野王 江陰衛籍治易第十二人如皋教諭

張文暉 第十四人見進士

秦思

顧以應 錦衣衛籍治書建平縣訓導

劉東皐 錦衣衛籍教諭

張若愚 錦衣衛籍治易懋緒子

吳文炳 自新 會同館籍治易任縣知縣

萬曆十三年

八十四人知江山泰和二縣大理右評事

李景春　第三人見進士

夏尚忠　宗禹府軍右衛籍治易知縣湖州府同知

李鎰　鼎卿府軍衛籍治易第一百十七人教諭

余璘　星河授河南上蔡訓導校士有條攝邑篆却幕夜金遷國學典簿

萬曆十四年

沈天啓　生予工部籍治易三甲第六十五人知奉新晉江二

趙端　金吾前衛籍治

江寧府志 卷十三

萬曆十六年

縣

董肇胤 善初 鄉貢 守緒子 治易 三甲第二百七十三人 行人 兵部員外郎 廣東左布政

趙時振 起濟 江陰衛籍 治易 第九十一人 教諭

紀三才 參甫 上元

易 岳州府教授

劉應龍 江寧籍 治書

王杞 子美 江寧籍 棋弟 治易 江西安義縣知縣

馬載經 籍封丘教諭

李汝奇 蘊之 太醫院籍 治易 滑縣[illegible]

萬曆十七年

焦竑 弱侯一甲第一人翰林院修撰贈諭德謚文端

何湛之 沖伯留守左衛籍參議汝健子

籍治易第一百九人龍岩知縣

方鶴齡 子脩上元籍治易第一百二十四人

簿

朱有嗣 留守左衛籍教諭

金殿 子鎮上元籍治易處州府教授

曹廷臣 思忠太醫院籍治易訓導

王忠徵 錦衣衛籍

萬曆十九年

治詩二甲第八人南刑部主事江西僉事浙江左參議

韓國藩 第八十五人見進士

向德象 惟拱上元籍治春秋第一百十四人知縣

姚履素 第一百十九人見進士

治易全椒訓導

張時彥 江寧籍治書湖口縣教諭

佘有恒 江寧籍治易天台訓導

金丹 赤候上元籍治詩訓導

顧履祥 尚書麟孫寶慶同知

梁桂茂 鳳池端肅材孫臨參知府善真草篆隸从身謹飭敬兄友弟

倪翰儒 鏡雲文數岳孫壽甸知府

王起宗 振之[illegible]書敝曾[illegible]州府[illegible]

十年

沈鳳翔 孟威上元縣籍鄉貢九思子治書三甲第一百七十一人蕭山知縣兵科給事中

張汝元 復姓顧改名起元見進士選貢

朱之蕃 見進士選貢

彭少南 子方欽天監籍治易萬安縣教諭

關近臣 仲補驍騎右衛籍治易武康教諭

萬曆二十二年

周元 第十一人見進士

何棟如 第四十八人見進士

朱之蕃 第七十人見進士

潘楠 乾所籍治詩第八十人

徐螌 伯明治易第九十七人

張仕 教諭

陳桂林 孟芳衛籍治易於潛知縣

萬曆二十三年

朱之蕃 元价錦衣

衛籍知州衣子治易一甲第一人翰林院修撰禮部侍郎出使朝鮮賜蟒玉一品服

張文煇　孚之金吾後衛籍治易以泰州學正中二甲第四十四人南戶部主事台州府知府長蘆轉運

李景春　上元飛伯

顧巒　懋功上元籍治易副使璵子貢池縣教諭

余鐘英　君儲江寧籍治書泰安知縣

徐應龍　時化江寧籍治易

時潮東　東之旗手衛籍治詩懷寧縣訓導

籍治易三甲第二十一人汀州府推官有清操陞南兵部主事

萬曆二十五年

周元 長卿欽天監籍治詩三甲第六十八人安陽知縣

顧起元 第十二人見進士

李時彥 見進士選貢

萬曆二十六年

顧起元 太初江寧籍副使國輔子治詩

皮光國 朴卿上元籍豹孫治易第一百二十六人

焦尊生 茂直旗手衛籍治禮記修撰竑子選貢

會元廷試一甲第三人翰林院編修國子監祭酒吏部侍郎謚文莊

卜履吉 元立江寧籍治易三甲第九人泉州推官福建副使

何棟如 充符留守左衛籍湛之子治詩三甲第一百四十五

姚烱 章甫江寧籍治易潁州訓導

陳嵩 籍治易常熟訓導

楊宗程 江寧籍治書

劉遷喬 子木衛籍治詩

萬曆二十八年

人襄陽府推官太僕少卿

韓國藩 价卿 應揚 衞籍治詩 三甲第二百七人 慈谿知縣 太僕少卿 左通政

徐鳳翔 君羽 江寧籍治易 第五十人 戶部主政

陳一治 以安 應天衞籍治易 第五十七人 三仕縣令

高汝毅 維遠 虎賁衞籍治詩 通州學正

夏汝成 誠之 上元籍治易

萬曆二十九年

卜有徵 伯符上元籍治易第一百十二人平度知州

李時彥 順天鄉試第二十三人見進士

姚履素 允初上元籍治書以嘉定教諭中二甲第十三人刑部主事陞廣東學憲

俞彥 仲茅前姓李名時彥今復姓俞

徐廷華 籍治易

漆經 載道水華[illegible][illegible]籍治易

江寧籍治詩以選貢中順天庚子鄉試廷試三甲第一百三十一人七人兵部車駕司郎中光祿寺少卿

劉思誠 天全衛籍 龍驤

張用學 上元籍治易 如臯教諭

陳弘喆 士明太醫院籍 知縣時萬子治詩池州府授

萬曆三十一年

徐揚先　南高江寧籍九疇曾孫治易第四十三人見進士

董天胤　善佑江寧籍鄉貢守緒子治易第五十一人官知州

周以岐　山甫上元籍治易沙縣教諭

薛應梅　公謂上元籍治易長江教諭

吳汝環 孔章江寧籍侍郎自新子治書第五十七人

焦周 茂孝旗手衛籍修撰竑子治禮記第六十人

張士德 叔鄰錦衣衛籍治易第六十一人

程國祥 第七十六

萬曆三十二年

萬曆三十四年

程國祥 我旋上元籍治易由吏部考功司郎中歷官戶部尚書武英殿大學士

人見進士

賈明道 念我治易第十九人

鄭觀光 治易第四十人

李球 治易第五十三人

譚尚文

蔡元白

吳坤

人

余大成 第五十九人見進士

沈應宿 治易第一百二十七人

張文學

周卿

萬曆三十九年

徐鳳翔 颺岐治易閩縣知縣陞戶部主事

余大成 集生祭酒孟麟孫戶部主事歷

盧復馨 少玉訓導

沈朝陽 宗明教授

易同人 東陽訓導

張學書 芝石訓導

陳昭遠

萬曆三十七年

陝山東巡撫

賈必選　徙南　治易　第三十五人官戶部主事

顧起鳳　第三十六人見進士

劉光奕　簡所　治易　第五十三人官四川知縣

王廷鑰　治書　第一

顧端祥　寄宇　官河南汝寧通判有政聲

卞晉吉　藎齋

楊名世　沂水訓導

李鶴

邵九思

鄭登庸　晴荇　訓導

王允恭　秋巖　訓導

萬曆三十八年

顧起鳳 醒石 廷試三甲由大理左評事陞鴻臚寺卿

萬曆四十年

萬曆四十一年

徐揚先 南高 江寧籍治易山萬安知縣陞江西道御史太僕寺少卿

萬曆四十三年

百五人

陳元慶 允嘉 治書

朱萬選 廓凡 訓導

阮可久 春臺

趙人文 一川

陳扆箴

裴遵

萬曆四十四年

第十八人 滁州學博

蔡屏周 明藩 治易

第四十九人官兵部郎陞大同知府

薛邦獻 其可 治易

第七十九雲南副使

沈向 原名時御

第一百二人授巫山知縣考選御史巡漕

王芝瑞 鍾淑 治詩

萬曆四十六年

鄭宗化 尚德 訓導

李應時

鄒景賢 孟淑

吳來鳳 起巢 州同

張文暐 藴甫 教授

王堯徵 觀峰 訓導

俞嘉言

徐廣祐 春宇

劉金軫 春臺

姚履旋 允吉 巾揚

第七人見進士

錢輝爵 治易第十九人見進士

梁志仁 霏玉第七十三人

文時策 治易第一百三十三人知縣

陳六奇 治易第一百三十七人景陵知縣

州學正陞巴東知縣

穆春榮 縣丞州判

黃應登 少龍德清訓導

張文曜 弦召文暉弟蕪湖訓導

王艮相

張一儒 太平訓導

四
年
啓元
年

楊相 輔之治易第一百三十八人辰州推官歷戶部郎汀州知府

黃華胤 素翁治易第三十人知縣

易震吉 第五十二人見進士

倪嘉慶 第五十三人見進士

朱景運 星侯同知

魏珠 叔夜

陳王猷 鍾玉石門知縣

沈鉉 象玉柴溝通判

天啓二年

倪嘉慶 樸菴江寧籍戶部吏部主事陞

謝杞 君令治易第六十五人新寧知州

姚麻 孟若治書第七十九人授山東陵縣知縣

顧起貞 遂初江寧籍治詩戶部郎中

王熙 貢生治易復姓陳由學博陞同知

沈尚仁 崑明

祝嘉節

周文舉 偉臺

張國政 止我

天啓四年	天啓五年	天啓七年
戶科	錢輝龠若谷上元籍治易禮部主事陞四川劍南道副使	
范叔度治書第一百八人 孫自修無修治易第一百二十人官知縣		陸朗第三十一人見
錢弘業伯陽官學博八赴鄉飲壽登九十有八 叢中錦天孫 宋賓客宇 葉桂林馨宇 蕭允達行我訓導 黃汝金 盧夢麟交所		

進士

李一白 更生 治易 第三十七人 陽山知縣

吳懋俊 元卓 治易 第六十七人 信宜知縣

陳珽 閣生 治詩 第七十六人

王觀宗 唯士 治書 江寧籍監生 知縣

汪偉 第一百十六人

張振豪 湘水

顧湞英 平陽

陳嘉謀 盤城 吳江訓導

姚之夔 一所 縣丞

黃文達 靖寧

崇禎元年

崇禎三年

汪偉 長源江寧籍慈溪知縣歷翰林院簡討謚文毅

見進士

楊士驤 龍起 治易 第四十一 八

王佩中 蓼蕭 治易 第四十九 人教諭

凌世韶 第五十四

文元龍 五陵訓導

黃棟 甲雲通判

劉旋 石鐘崇寧知縣

朱耳隣 由康

童廷觀 碧虬

陳台 惕侯訓導

崇禎四年

王芝瑞　鍾淑　廷試

人見進士

史永清　徽藏第七十三人

錢源　治易第九十二人見進士

黄金榜　印先治易第七十七人

錢儀　治禮第九十五人

楊啓東　振垣

焦潤生　茂慈文篇竑子曲靖知府

朱從義　無外侍郎之蕃子溫台道

顧藎詒　念之文莊起元孫

顧道昆　章予文莊起元子戶部檢校

顧巽昆　繹予文莊起元子

崇禎六年

陸朗　闈先廷試三甲八十二人授中書科選戶科給事中浙江督餉

三甲八十一人授行人陞禮部主事四川提學

施其政　玉謀治易第二十名官吳江學博

夏時泰　第三十八

陳于極　滄門

陳汴　芝南祁門訓導

陳濟　雨寰貫東石城知縣同胞

李崙　園公無爲訓導同貢

張東銘

焦炯　尚忠端州主事戶部主事

程震初　乾一大學士國祥子

崇禎七年

易震吉 起也上元籍治易二甲二十一名官刑部主事陞大名知府嘉湖道副使

凌世韶 蒼舒治書三甲三十名授寧化

見進士

胡順忠 第七十七人見進士

蔡朝聖 應侯

周星 中順天鄉試見進士

卜文華 貫甫

王有旦 五美知縣

韓國屏 振宇

陳大節 可薦訓導

縣知縣陞戶部主事

王瀇元倬

韓范孟小學博

許嘉聞聘令

鍾奇無奇工部主事

張蒼舒靜涵寧波府同知

張星煒

黃日乾聖因治易以文章名篤于孝義

顧澄英

温之麟

馮昌齡齡生訓導

李性仁

楊應文淳臺主簿

朱夢鯉甫暘

崇禎十年

錢源　伯開江寧籍治易東陽知縣有政聲考選兵科給事

崇禎十二年

周景濂　治詩第二人見進士

王亦臨　穆如治易

趙元乙　甚巖

王大化　紫峰

劉元初　完素

顧士翹　三楚訓導

陳觀天　靜甫知縣

陳明經　元常縣丞

朱應昇 允升任寶慶府推官

周士章 吳昉上元籍治春秋應城知縣

王象春 亦文大治知縣

羅策 元升第三十人見進士

謝廷相 顧小治易

施化遠 元引江寧

陸士芳 倩如

陳彝 見舉人

薛璇 升伯歸安丞

孫石 介臣

徐有聲 戶部主事

張士藎 敬恒

吳儀潛 天一

徐推先 叔開訓導

祝萬化 五矦

崇禎十三年

夏時泰 履安上元籍中書舍人

羅策 元升上元籍博

籍容城知縣

陳丹東 順天鄉試見進士

黃艮 處厚治易

方承化 寧子府同知

蔣尚彬 直甫

王仕雲 望如甲申廷元鎮江府訓導戊子舉人壬辰進士

范士雲 光水

顧夢宸 輿極

劉象先 今度善書

朱尚雲 著書未仕

陸大猷 孔嘉

五年

十

羅知縣

周星九烟上元人湘潭籍復姓黃

胥廷清第六十八人見進士

許暢琴公吏部郎中

施鳳翼第一百五十六人見進士

劉思問斯之上元籍由理刑陞同知

汪觀我生文烈偉之子

王萬禩日華

王道用予

胡端坤石公知縣

夏沛生生石幵權官

班嘉佑若繩

陸大訓實周

孫素齋宗

顧夢游與治

崇禎十六年

陳丹衷 旻昭 治易 上元籍 河南道御史

大清順治二年乙酉科

陳彝 伯倫 江寧籍 中順天鄉試 豐縣教諭

路汝捷 多磐 江寧籍 治書 第十五人 新城知縣

李廷樞 江寧籍 治易 丁亥進士

壽拱宸 北觀 同知

汪良渭 非雄

常惺 暘若 太平訓導

陳白輅 嬰白 知縣

史象晉　籍上元治易第四十四人己丑進士

郭亮　江寧籍治易第七十三人丁亥進士

彭文煒　次文江寧籍治春秋第八十三人襄陽府同知

李楨　上元籍治易第九十二人己丑進士

何沛之　公澤潁州正

狄其麟

劉光胤　振先

陳虞典　邦重

白待召　二東教吉水令有惠政陞柳州通判

駱攽前　遜公知縣

金鍊之　升侯知縣

高翔 江寧籍治易第九十八人丁亥進士 張循訥 如仁 知縣

李敬 江寧籍治春秋第一百人丁亥進士 張夢麟 壽子 知縣

平其政 無謀 教諭

張如璿 玉衡 江寧籍治易第一百七人桐廬知縣 陳蘓 知縣

邵之楨 貞木

周尚賢 賓我 知州

蔣怡 穆止 江寧籍治易第一百卜三人 蔡懿 伯玉

白夢鶴 見舉人

陸本 卅几 江寧籍治 楊晉 見舉人

順治三年丙戌

易第一百二十二人高郵學正

徐惺江寧籍治易第一百四十二人巳丑進士

謝觀上元籍治易第一百四十四人巳丑進士

胡禹黄螭贊江寧籍治詩第一百四十

王澄見舉人

陸鳴時見進士

王瑀見舉人

鄧庭羅叔奇青州知府湖廣憲副

葉灼棠福建副使

侯晉康候

范幟赤生湖廣綏寧知縣

方至鞏縣知縣

科

順治三年丙戌科再行鄉試

五人

謝起秀 休寧訓導

劉思徹 上元籍治詩第九人丁亥進士

余二聞 未也知縣

郭鳴盛 寰鷟

史允琦 江寧籍治詩第二十七人丁亥進士

顧香臨 慈义同知

徐必登 惟一

汪彥 霏玉

錢穀 美也江寧籍治易第八十五人丹徒教諭歷國子監助教

楊東生 爲尃南陵訓導

宗觀 鶴問廷嵗貢元

龔舟 江寧籍治易第

傅倬 亭玉

順治四年丁亥再行會試

劉思敬　純之，上元籍。治詩。第二甲三十一人。由刑部主事陞……

九十八人。丁亥進士。

朱之翰　上元籍。治詩。第一百二十二人。丁亥進士。

吳調元　與蒼，上元籍。治書。第一百二十八人。典化同知。

侯鼎岐　玉虔，南陵訓導。

伍之乂　從吉。

林一棟　鄧傑。

鄭濂　刑籍考授教職。

吳山　紫韻。

許務　求若，序化知縣。

錢培潔　琢之，知縣。

葉令綸　言如，考授知縣。

分守左江道參議

高翔 雲旂 江寧籍治易第二甲三十四人由戶部主事陞德安知府

李敬 聖一 江寧籍治春秋第二甲五十六人由行人歷刑部左侍郎

史允琦 奇玉 上元

林皐 紫巖

葉高標 星公 卯州

李先 本素

吳煥然 中闇 訓導

馬御揚 泰昭

程際明 似之

鄒本聖 循以 通判

何一鳳 際明 推官

錢運新

吳星 徲公

籍治詩第三甲二十五人由典化監官陞山西提學僉事

郭亮　弘侯上元籍治易第三甲五十四人由建德知縣陞戶科川西道參政

施鳳翼　子翔江寧籍治易第三甲七十六人上虞縣知縣

李際時

甯延禎　將子訓導

劉炳　文長青浦訓導

顧和鼎

周達　上之

程希孔　望尼

沙炳　虎占

戴震亨　秀之

陸史　左臣

朱之翰 鶴門上元籍治詩第三甲一百九人由滑縣知縣陞行人

胥庭清 永公江寧籍治易第三甲一百三十人餘姚知縣陞工部主事

葉舟 天水江寧籍治易第三甲一百四十

劉鄴 玉如

程堯情 情只

蔣元彥 士燦爲樂安縣令擒大盜爲餘黨所害友人朱知雄扶其柩以歸

三人華陰知縣陞兵部巡按浙江御史轉南昌知府

順治五年戊子科

李廷樞 辰玉，江寧籍，治易，第三甲一百五十五人，翰林院檢討，改浙江督糧道

蔡祖庚 上元籍，治易，第三人，己丑進士

宗章壎 江寧，天門知

豫王考授監貢

劉玉佩 青藜，江寧籍，考授中書，歷陞刑部郎中，邵武知府

周士先 茶陵知州

王賡命 吉安府同知

籍治易第九人江陰教諭

陳嘉善 江寧籍治易第十四人巳丑進士

張延基 上元籍治詩第三十八人壬辰進士

楊士元 江寧籍治易第七十三人辛丑

張可賓 廣寧潁州同知

王仁錫 太平知縣于本年六月到任城陷升子世澤家屬六人死之

王廷弼 右君貴陽副使

薛必科 考選知縣

進士

王仕雲　江寧籍，治易，第九十四人，壬辰進士。

黄康成　江寧籍，治詩，第九十七人，不第，教諭。

何采　江寧籍，治易，第一百十一人，己丑進士。

順治六年己丑科

何采 濮源桐城人江寧籍治易二甲第十五人翰林院春坊左春坊文端公相國龍孫贛州府知府應璧子

丁峻飛 江寧籍治易第一百十五人己丑進士

丁峻飛　扶萬江寧籍治易二甲第二十一人辰州知府

陳嘉善　上元籍治易三甲第二十七人山東青州道

胡順忠　將美上元籍治易三甲第十六人南安知府

謝觀 叔賓上元籍治易三甲第一百五人知縣陞戶部考選御史

蔡祖庚 蓮西上元籍治易三甲第五十六人由甘泉知縣陞戶部直隸通蔚道

徐愷 子星江寧籍治易三甲第一百六十

三人中書科考選禮科轉兗東道

李禎上元籍治易三甲第二百四十一人扶風知縣

史象晉晝也上元籍治易三甲第一百五十四人萬安知縣

順治八年辛卯科

徐必遠寧菴江寧籍貴陽人癸酉貴州

王琰弗豫江寧籍治易第十四人武進教

鄉試第三十三人己丑三甲第三人翰林院檢討轉桂平道參政

諭

蔣士瑋 韋玉江寧籍治詩第四十四人

周而淳 江寧籍治易第六十三人壬辰進士

梁熠 蘇公上元籍治易第七十人

徐珏 上元籍治易第七十二人壬辰進士

李之本 大生刑部侍郎敬子

李之實 刑部侍郎敬子

劉自強 義先左江道恩敬子

劉樓牲 吉人邵武知府王佩子

郭鄴

郭鄴 背丁

吳儀濤　山公江寧籍治書第九十七人全椒教諭

夏胤聯　初先上元籍治易第一百七人

王鉉　江寧籍治詩第一百二十四人甲辰進士

程邑　上元籍治易第一百二十七人壬辰

李之用　叔和刑部侍郎敬子

進士

王萬象 咸昭上元籍治易第一百三十七人

王璵 東鎮江寧籍治易中順天鄉試長洲教諭

陸鳴時 上元籍治易中順天鄉試壬辰進士

治九壬辰

周而淳 古杭江寧籍治易二甲第四十九人戶部主事

白夢鶴 仲調江寧籍治易中順天鄉試

楊晉 愛茲江寧籍治易中順人鄉試

王澄 子靜江寧籍治易中順天鄉試饒州府推官

程邑 幼弘上元籍治易三甲第三十三人翰林院庶吉士改國子監助教

王仕雲 望如江寧籍治易三甲第九人泉州府推衡官

張延基 壇允上元籍治詩三甲第一百四十四人石泉知縣

順治十一年甲午科

陸鳴騶 繇文上元籍治易三甲第一百四十八人中書舍人

徐玨 二玉上元籍治易三甲第二百六十七人黃巖知縣

程瀚 上元籍治詩第二人戊戌進士

周道泰 通也江寧籍治易第四十人

順治十二年乙

周景濂 仍叔 上元

王作礪 金汝 上元籍治易第六十八人

鄧士傑 上元籍治易第八十九人辛丑進士

謝沛 天流 江寧籍治易第一百五人

史樸 守慶 上元籍治易第一百十七人

未科

順治十四年丁酉科

籍治詩三甲第五十四人石阡府推官

程秸 江寧籍治易第二十七人

吳樹聲 江寧籍治書第五十八人甲辰進士

楊兆臯 景芝 江寧籍治易第六十一人

江蕃 江寧籍治詩中

順天鄉試

錢天予　上元籍中順天鄉試

順治十五年戊戌科

程瀚　北海上元籍治詩三甲第一百四十五人安仁知縣

順治十六年己亥科再行會試

順治十七年庚辰望

朱英　上元籍治易第七人

順治十八年辛丑科

鄧士傑　萬子上元籍治易二甲第六十七人

楊士元　届先江寧籍治易三甲第一百十五人

阮𪸩　樂叙江寧籍治詩第三十九人

康熙二年癸卯科

胡士著　江寧籍治易第三人甲辰進士

康熙三年甲辰科

胡士著 綱文江寧籍治易三甲第十九人翰林院檢討

吳樹聲 周旌江寧籍治書三甲第二十七人

阮士鵾 天雲江寧籍治易第二十九人

陳菁 二又青江寧籍治易第六十九人

康熙五年丙午科

王鉉　澹石江寧籍治詩三甲第三十四人

江蕃　宣子江寧籍治詩三甲第一百三十一人

陶敬　肅公江寧籍治詩第十九人

黃其代　有臣江寧籍日乾子治易第二十三人

康熙六年丁未

羅秉倫振彝江寧籍治易第三十九人

江寧府志卷之十三終

江寧府志卷之十四

科貢下

句容

唐　進士

會昌　胡悅國子監助教

宋　進士

慶曆二年　張識

張諮

熙寧九年　江適道

楊之道

政和八年
巫越
徐時昇 贈中奉大夫
紹興八年
巫孝立
巫伋 參知政事
紹興十二年
黃昌言
江漢
紹興十八年
江寶玉 翰林編修
紹興二十一年
湯彥昇
巫克恭

年	進士
淳熙二年	巫孝傑
咸淳七年	徐桂子縣尉
	胡廷柱

元	進士
	夏道山年無考

明	進士	舉人	歲貢	敘蔭附年缺
洪武三年	趙權知縣金陵人物志作二十四年	趙權見進士		
洪武四年				
洪武十七年		凌輅見進士		

洪武十八年　許晉

洪武十九年　凌輅知府

洪武二十年

洪武二十一年

洪武二十四年　吳斌知府

洪武二十六年

洪武二十七年

吳斌見進士

洪深御史

陳彝

湯恭

張經僉事

潘振州學正

周廸郎中

王敏州判

洪武[illegible]十[illegible]年
洪武三十年
建文元年
建文二年
永樂元年
永樂二年
永樂三年

劉永知州
范進知縣

嚴𠑽訓導
范進見進士
王𠀤訓導
陳壽訓導
尹鑑訓導
張達御史

李鐸
陳錡
湯寶知州

永樂四年
永樂五年
永樂六年
永樂七年
永樂九年

王原
劉濬見進士
曹義見進士
巫泰府檢校
吳謙通判
陳遜府同知

陳申衛經歷
許安僉事
巫潤知縣
吳禧知州
嚴信苑馬少卿

永樂十年	劉濬 御史		胡潤
永樂十一年			王榮 知縣
永樂十二年		謝璘 見進士	徐豫
永樂十三年	曹義 編修南吏部尚書 高志 提學僉事 謝璘 郎中		樊繼 知州
永樂十四年			周順 州判
永樂十五年		曹暹 教諭	陳熙
永樂十六年	張銘 員外郎		胡定 衛經歷

永樂十七年
永樂十八年
永樂十九年
永樂二十二年
宣德元年

周禮府同知
徐縉知縣

胡諒訓導
王煥州學正
潘廷詩魁南太僕寺丞
朱珉知州
劉能教諭

武傑
包輝
許懋知縣
王哲

宣德五年	宣德六年	宣德七年	宣德八年	宣德九年	宣德十年	正統二年	正統三年	正統四年
								張諫 赤水衛籍提學
					張諫 雲南禮記魁見進士		李質 教諭	
張亨	江渺	孔詵 知縣	楊敏 知縣	嚴旭 府經歷	倪睿 知縣	吳琰		蔡澄 教諭

年			
正統七年	御史順天府尹		王賓通判
正統九年		張紳見進士 嚴純州學正 王永寧府經歷	茅容
正統十年	張紳南御史參政		
正統十一年			陳福通判
正統十二年		居輔通判	强和所吏目
正統十四年			樊諒知縣 劉惠縣丞

景泰元年

景泰二年
曹景御史副使

景泰四年

景泰五年

華禎訓導
王韶州同知
孔彦倫通判
包文學府同知
曹景見進士
王綖教諭
高濤知州
姚寧運司判官

周艮縣丞
張昂知縣

景泰六年　景泰七年　天順三年　天順六年

蘇潤　知縣
高謗　知縣
徐玉
石堅　順天鄉試
戴仁　亞魁見進士
胡漢　教諭
李澄　教諭
曹瀾　見進士

曹龐　知縣
王鐸　府教授
凌傅　見舉人
呂霆　衛經歷
孫琦　訓導
王驄　主簿

天順八年	曹宏錦衣衛籍御史副使		經緯知縣　笪縉訓導　陳秦訓導　許潤局大使　經文懿知縣　陳釗訓導
成化元年		王璿知縣	
成化二年	戴仁提學御史	張恪	陳鉞知縣

成化四年
成化五年
成化六年
成化七年
成化八年
成化十年
成化十一年

許嵩 雲南廣南衛籍 知縣

曹瀾 景之子 知州
湯鵬 壽州籍 御史

淩傅 順天鄉試 知縣
湯鵬 春秋魁 見進士
孫傑 知縣

陳璿 訓導
曹祖齡
張悰
吳觀 訓導

成化十一年	成化十三年	成化十四年	成化十六年	成化十八年	成化十九年	成化二十年	成化二十二年
						倪綱 會魁行人 高平 錦衣衛籍知縣	
	李永亨 推官		張憓		趙欽 見進士 居軫 訓導		徐欽 詩魁
鄒綸		楊勘 訓導		張綽 訓導		許潑 訓導	陶貴 訓導

弘治元年
弘治二年
弘治三年
弘治五年
弘治九年
弘治十年
弘治十一年

楊鉞 知縣
趙欽 南給事中

曾鉞 府同知
楊鉞 見進士
王相 教諭
曹銓 見進士
蘇遨

張瑾 府經歷
張恬 知縣 年無考
孔祖福
周祚
戴玭 州判
徐永賢

年	進士	舉人	貢
年			許玹教諭
			唐景和
弘治十四年		夏克義知府	
弘治十五年	曹崑順天魁行太僕卿		曹淇府經歷
弘治十七年	曹岐行太僕卿俱宏之子	華忠鹽課提舉	王景訓導
正德二年		曹濛員外郎	孫貫教授
正德三年	曹鋒僉事		

正德十五年	正德七年	正德九年	正德十年	正德十一年	正德十二年
					曹鐩武進籍會亞魁
				鄒志學府同知 王暐見進士 楊沔見進士 朱福順天鄉試大興籍鴻臚少卿	
阮希晉	高瓛教諭	華武	楊迪教諭		凌諟州判

正德十二年	正德十四年	嘉靖元年	嘉靖二年	嘉靖三年	嘉靖五年	嘉靖七年	嘉靖八年
王暐戶部尚書							劉鳳主事 楊沔按察使
	劉鳳見進士						
陳韶歷按察經	張本學教諭	徐仲榮訓導	張鵬	楊時舉知縣	樊廣教諭	許琮訓導	

嘉靖九年			嚴表 訓導
嘉靖十年		李春芳 見進士 許彥忠 見進士	
嘉靖十一年			居瓚 州判
嘉靖十二年			陶震 州同知
嘉靖十三年			曹鋌 知縣
嘉靖十四年	朱尚賓 瀋陽中衛籍		
嘉靖十六年			王訥 州判
嘉靖十七年			許琳 訓導

嘉靖十八年			王文獻	
嘉靖十九年		張錦 知州	楊謨 訓導	
嘉靖二十一年			呂璠	
嘉靖二十二年		張梅 知縣		
嘉靖二十三年	許彥忠 叅議		林詔	
嘉靖二十五年		王朴 知縣 蔣國賓 廣南衛籍 雲南鄉試 府同知	[illegible]	王誠 尚書驊子
嘉靖二十六年	李春芳 興化縣籍 一甲第一名 少師 中			

嘉靖二十七年	嘉靖二十八年	嘉靖二十九年	嘉靖三十一年	嘉靖三十二年	嘉靖三十三年	嘉靖三十四年
極殿大學士						
				江奎 遼東廣寧衛籍 知府		
	趙科 知縣					曹存 知州 經儒 知縣
丁鶴 訓導		姚廷鳳	江文煥		屠寵 訓導	

江寧府志 卷十四 科貢下

嘉靖三十六年			夏璘 訓導	
嘉靖三十七年			徐瑚 訓導	
嘉靖三十九年			王翰 教諭	
嘉靖四十一年			許泰 訓導	
嘉靖四十三年			栢鳳鳴 教諭	李茂年 尚寶司丞
嘉靖四十四年	笪東光 江西東鄉籍右給事中			李茂德 中書舍人 俱少師春芳子
嘉靖四十五年			曹俅	
隆慶二年	楊言 給事中 高一登 山東淸平		曹介	

隆慶三年	隆慶四年	隆慶五年	隆慶六年	萬曆元年	萬曆二年	萬曆四年
衛籍去華		王敬民河南西華籍推官巡撫南贛				
				陳榛貴魁	笪守心安慶籍	徐言
楊講縣丞	高寅		黃鑾訓導	朱邦奇	夏珂	戴恩順

萬曆七年		曹孝述 存之子 曹楷	李一孝 廣德訓導
萬曆八年	陳榛 南京戶部郎中 王嘉賓 福建道御史	許堯脩 星子知縣	紀橋 漳平知縣 曹友貞 張應阜 寧國訓導
萬曆十三年		王聘賢 戶部司務	王嘉賓 歙縣訓導 張問仁 合肥訓導 潘一夔 王之政 武寧教諭
萬曆十九年		曾繼盛	張榜 見舉人

萬曆二十六年
李思誠禮部尚書

李思誠見進士
李思敬
楊瑞麒
張榜經魁
王祚遠見進士
孔貞時見進士
曹可明見進士

齊璿
孔貞時見進士
徐朝賓桐城訓導
王裕
胡懋龍建平教諭
周維新
華一科
許應極
胡嘉猷鳳陽教授
張從政

萬曆三十一年

萬曆三十四年

萬曆四十一年

萬曆四十二年

孔貞時 會魁四名 翰林院檢討 祀鄉賢

王祚遠 吏部侍郎

楊棟朝 吏科給事中

孔貞運 見進士

陳有威

徐行恕

萬曆四十三年

李長華 改名嗣京 見進士

何大有 平陽訓導

王泮 無爲州訓導

華遇春

史文奎

王學聖

王應科

萬曆四十四年	萬曆四十六年	萬曆四十七年	天啓元年
孔貞運 第一甲二名歷官少保禮部尚書文淵閣大學士謚文忠祀鄉賢		李喬 兵部右侍郎 孔榮宗 湖廣副使	
	李喬 見進士		楊弘道 改名瓊芳見進士

李自芳

施增

張明熙 見舉人

芮士元 常州府教授

孔貞臣 知縣

齊雲翰 常州訓導

趙成治

王愷 開封府判

天啓二年

曹可明 — 會試第二名，廣西參議

天啓七年

崇禎元年

李嗣京 — 監察御史，巡按福建

李長敷

李清 — 見進士

張明熙 — 見進士

李長倩 — 見進士

李長似 — 高淳教諭

葛元素 — 霑化知縣

李長開 — 南昌知府

徐正心 — 靖江教諭

曹可還 — 當塗教諭

孔貞會 — 汝寧道僉事

呂應選 — 徽州訓導

張駿業 — 鎮江府教

崇禎四年
李濟 戶科給事
崇禎七年
李長倩 福建提學
崇禎十年
台汝勵 戶部郎中
崇禎十二年

李長祚
高鵬南 見進士山東籍
戴文燦 國子監陵

授
黃達士 見舉人
戴在中 慈谿知縣
楊森 陽御進士
李長科 懷集知縣
文章著名
樊士寬
陳敦信 知縣
王晉錫
汪士俊

[illegible]三十

楊瓊芳 會試第一名 中書科中書舍人 吏科給事中

大清

順治二年

順治三年

高鵬南 會魁 福建道

教

黃達士 霍丘教諭

王白新 湖廣提學

陳繩舜 貴江教諭

李信

王度

居然朗 肅寧知縣

張素履

王士弘 五河教諭

張士騏

順治五年

順治六年

胡允知府

楊元勲陞調醴陵知縣

順治八年

楊元勲見進士

胡允見進士

李沐

管祖齡

張芳

潘淵

管重光見進士

李挽河

孫詒

朱家禎巢縣訓導

徐冉[illegible]訓導

楊一棟府經歷

李渭揚州訓導

王明道

高曦中書

陳茂勲

管韻

李挽河見舉人

順治九年	順治十一年	康熙元年	二年

笪重光在辛監察御史

張芳菊人任湖廣常寧知縣

朱朝幹解元改名獻醇

戎正中

徐廸維乇

陳所蘊爾章

李灝來紫

曹可屏茂邢

戴之白公雪

溧陽

宋

進士

太平興國八年 周絳 都官員外郎知府事

熙寧十年 潘溫之

紹聖元年	許子美	
	潛絳溫之子知縣事	
	年無考	
崇寧五年	秦濟	
政和元年	錢時敏敷文閣待制	
	秦梓	
建炎二年	錢聞詩給事中直學士院	
	李朝正知府事	

紹興二年 劉樞

潘祺 州司戶

紹興十八年 周彥

紹興二十四年 趙公彬

乾道五年 沈鑑

淳熙五年 張衡

淳熙八年 張逢辰

嘉定七年 潘棗征 知縣事

嘉定十年 吳筬

嘉定十二年 趙彥伐

嘉定十五年	錢應高
	楊俊　敕令掌翰林院　年無考
咸淳	湯德俊　推官　年無考
元	進士
延祐二年	偰哲篤　參知政事
延祐五年	偰玉立　肅政廉訪司使
至治元年	李士[illegible]　台州州判

偰朝吾 同知州事

泰定元年 偰直堅 縣尹

泰定四年 偰善著 行省檢校

偰列虎 縣尹

至正元年 偰𤔁 哲篤子翰林編脩兼正字

至正十一年 嚴瑄 縣丞

明

進士

舉人

歲貢

叙蔭

吳元年 偰斯 吏部尚書

洪武十八年 陳豫

普守道 𥳑討伯仲

洪武十九年
洪武二十二年
洪武二十四年
洪武二十七年
洪武二十八年
洪武二十九年
洪武三十一年

馬驤 知縣
陳儒 府照磨
陳鎰

駐友直 府知事
楊偉
羅安 郎中
朱毅 知縣
蔣完
徐文英 御史 按察副使
陳善 衛經歷

淵子通判 年無考

建文元年　永樂元年　永樂二年　永樂三年　永樂四年

史彬　知州

王滿　知縣
彭守學　州學正
潘鵬　副使
謝嘉
鍾回　推官陞知府
史彬　見進士
張誠　知縣

史復　知縣
馮安　推官
狄蒙　知縣

永樂五年
永樂六年
永樂七年
永樂八年
永樂九年

呂和 主事
史詠 見進士
楊璞 見進士
黃琮 府教授
錢皦 知縣
黃玉 訓導
錢覺

陳俊
史壽 改名輝 給事中 左參政
王謙 知縣
張祺 知縣
彭彛 府同知

永樂十年

永樂十一年

永樂十二年

永樂十三年

永樂十四年

永樂十五年

永樂十六年

永樂十七年

史詠 府同知

史常 知府

楊瑛 府教授

史常 見進士

把士聰 伴讀

馬進 訓導

徐齡 舉 塩課提舉

高禧

鄧詢 知縣

蔣遜 州判

宗適

周琮

郝嵩

永樂十八年		王琳見進士 陳長	楊剛御史僉事
永樂十九年			劉昭
永樂二十一年		史曆郎中 孫達訓導	
永樂二十二年	王琳提學御史參政		曹友昌
宣德元年		史巖教授	
宣德二年			蔣毅通判
宣德五年			羅亨府知事 羅振知縣

宣德九年			周暘 史艮 縣丞
宣德十年			宋璉 府同知
正統三年		芮釗 順天鄉試見進士	房相 通判
正統五年			史策 縣丞
正統七年	芮釗 寶坻籍副都御史		周震
正統九年			史俊
正統十一年			狄惠 知縣

正統十三年
景泰元年
景泰二年
景泰三年
景泰四年
景泰五年
景泰七年

呂旻 和之子 知縣
彭愕 教諭
王貞 知縣
楊靚 推官
曹珏

王鑑 知縣
彭麟 縣丞
楊禮
蔣著 知縣
陳簡
房懋
黑賢

戴昇 大常卿 慶祖姪 員外郎

天順一年

天順三年

天順四年

天順八年

史紘 常之子

蔣幹

張珍 順天鄉試見進士

呂誠

王銘 衛經歷

孫碩 縣丞

楊紹 知府

蔣德政 順天府治中

馬清 衛經歷

史遷 訓導

史憲 主簿

天順八年　成化二年　成化四年　成化六年　成化七年　成化九年　成化十年

顯珍　滄州籍　僉都御史

陸錫
陳鉞　見進士
繆[illegible]　見進士

趙奎　縣丞
楊遜　訓導
周鎬
陳衍
吳琚
戴晨　府經歷
徐紘　縣丞

成化十一年　成化十二年　成化十三年　成化十四年　成化十六年　成化十八年　成化十九年

繆樗南御史
陳鉞知縣

馬英知縣
達雲
達洪
虞賓
陳璞知縣

岳嵩
鄭芳衛經歷
史誤訓導
呂恪主簿

成化二十年

成化二十二年

成化二十三年

胡汝礪咸寧衛籍兵部尚書

史槃更名後見進士

余洙見進士

史學見進士

潘楷順天鄉試見進士

胡汝礪陝西鄉試見進士

史顯衛經歷

房賓訓導

戴愈慶祖姪孫部檢校

弘治元年

弘治二年

弘治三年

弘治五年

史學 參政

潘楷 錦衣衛籍庶吉士御史布政使

陸徵 御史參政

馬性魯 書魁見進士

余溢

陸徵 見進士

胡汝楫 陝西鄉試

芮聰

史霆

庾誠 知縣

弘治七年
弘治八年
弘治九年
弘治十年
弘治十七年

史後 給事中進光祿少卿
余洙 吏部主事

見進士
楊琦 復姓蔣推官
胡侍 陝西鄉試見進士

經濟
彭鵬
史華
史愉
方徵 以下縣志缺年
史慶
史玭 按察司經歷

弘治十八年	正德二年	正德五年	正德六年
胡汝樟寧夏左衛籍知縣			馬性魯會魁給事中知府

狄冲見進士
史簠知縣
彭翮順天魁

黃必遇州吏目
蔣寔
狄璋府照磨
謝鸞
黃文昌
戴德訓導
馬從謙
陸繖
湯璧縣丞
史鏊

正德八年

楊珙 復姓蔣 見進士

方元範

正德十一年

彭謙 見進士

湯旻 知縣

郝鳳朝 雲南鄉試 知縣

湯翺 知縣

正德十二年

胡侍 汝礪子 咸寧縣籍

嘉靖元年

蔣珙 僉事

蔣廷璧 貴州鄉試 普安衛籍 國子學正

戴金 縣丞 以下具年

嘉靖二

狄冲 郎中

呂玉 通判

嘉靖三年
嘉靖四年
嘉靖五年
嘉靖七年

繆希亮見進士
史際見進士
史伋
馬章改名震章見進士
馬一龍順天解元見進士
胡萬里陝西鄉試

史昊通判
史晃知縣
王紳

嘉靖八年

馮彬 廣東雷州衛籍 按察副使

見進士

嘉靖九年

胡萬里 咸寧縣籍 知府

繆希亮 未廷試

嘉靖十年

馬從謙 順天解元 見進士

何璋 湖廣衛 試見進

方元吉

嘉靖十一年	嘉靖十二年	嘉靖十三年	嘉靖十四年	嘉靖十五年
史際 後之子吏部主事進太僕少卿			馬從謙 光祿少卿 胡叔元 汝楫孫咸寧縣籍	
士		胡叔元 陝西鄉試見進士		
史鉉	逹炳 通判			彭若恩 鴻臚署丞

嘉靖十六年		彭若龍 謝之子 蔣宗魯 貴州鄉試 見進士		
嘉靖十七年	蔣宗魯 延壁子副都御史		史銑 教諭	
嘉靖十八年			史治 訓導	
嘉靖十九年		高裕 苑馬監正	史文奎 縣丞	
嘉靖二十年			滕祚	
嘉靖二十一年			蔣繹 推官	
嘉靖二十二年		狄斯彬 見進士		

嘉靖二十三年	彭謙 馬震章 按察副使 何璋 夷陵籍 知府	朱纁 見進士	史籍 主簿
嘉靖二十五年		張翰翔 見進士 湯憲 雲南籍試	史汴 縣丞
嘉靖二十六年	馬一龍 南司業 狄斯彬 御史 左參議		
嘉靖二十七年			呂充 通判

嘉靖二十八年
嘉靖二十九年
嘉靖三十一年

王堯來 知州
馬有駿 兵馬指揮
芮元寀 實授籍順天鄉試

魏文鳳 教諭
李燮 教諭

嘉靖三十二年
嘉靖三十五年
嘉靖三十七年

郝知年 雲南鄉試
鍾士榮 主事
郝知禮 雲南鄉試

鍾祖齡 教諭
呂景利 教諭
高仕 府照磨

嘉靖三十八年
嘉靖三十九年
嘉靖四十年

朱纁　尚寳司丞
張翰翔　僉事

馬震伯　一龍子
秋同燧　斯彬子
鍾遐齡　見進士
蔣思忠　貴州鄉試
宗魯子
蔣思孝　貴州鄉試
見進士

包思學　教諭

嘉靖四十一年
嘉靖四十三年
嘉靖四十四年
嘉靖四十五年
隆慶元年
隆慶二年
隆慶三年
隆慶四年

蔣思孝宗伯子員外郎
鍾遐齡知縣

陳善知縣
史繼志見進士
朱默
錢美中

彭适知縣
劉序州學正
葛侗教諭
楊道延縣丞
史繼辰見舉人
袁崇化見舉人

隆慶五年
隆慶六年
萬曆元年
萬曆二年
萬曆四年
萬曆五年

史繼志 主事
史繼辰 庶吉士

袁端化 順天鄉試 知縣
蔣立敬 長史
狄同然 順天亞魁 知縣陞審理
史繼辰 易魁
呂重慶 改名昌期 詳進士

陳家肇 知縣
狄同然
芮大愚
朱應龍

萬曆七年

萬曆十年

萬曆十六年

萬曆十九年

萬曆二十二年

馬震述

戴維城 撫州推官

狄獻明

滕養志 建寧知縣

鍾振音

史宣政 兗州同知

孫學曾

宋臣熙

强中孚

李瑞芳 河南通判

强安慶 武義知縣

陳翹翰

馬吳衢 沅州知州

史國典 陝州知州

史寧野 教授

錢賓國 訓導

萬曆十六年
萬曆二十八年
萬曆三十一年
萬曆三十二年
萬曆三十七年

呂昌期 山東參政
陶人羣 授評事

狄臣華 崇善知縣
周豐 崇仁知縣
宋拱宸
陶人羣 詳進士
史孔吉 詳進士
彭遵亮

虞國儒 詳舉人
蔣明臣 教諭
黃友瓚 訓導
狄同默
彭遠
方希謙
羅應試
朱發明 訓導
陳善則 教諭
史宜教

萬曆三十八年	萬曆四十年	萬曆四十三年	萬曆四十六年
史孔吉 戶科給事 河南副使			
虞國儒 順天中式	錢自遇	黃元昭	陳獻策 詳進士
		鮑自新 詳進士	彭之澤 知縣
			蔣芷華 知縣
史懋學 竹溪知縣	狄期順 通判	朱焯	葛允升 滿城知縣
狄頌垚 教授	馬廷華 臨武知縣		

天啟元年	天啟三年	天啟四年	天啟七年
	鮑自新 戶部主事 補兵部 陳獻策 兵科給事中		
史其文 臨桂知縣		彭敦曆 戶部主事 范叔度 謝闓新 評進士 陶之郁 教諭	
潘登嘉 訓導 錢汝南 馬弘源 江浦知縣 馬鵬起 訓導 □元衡 判官 史龍瑞 教諭 黃葵廷 訓導 錢炳然 訓導 馬明錫 慶元知縣 陸禹思 戶部主事			

崇禎三年	崇禎四年	崇禎六年
	潘曾瑋 官至關使 馬成名 巢官至巡撫	
馬成名 詳進士 錢佳 教諭 潘曾瑋 詳進士		周鼎昌 楊宗簡 詳進士 馬御 王徵
戴球 寧波通判 董勸 史長統 湯元簡 鍾龍期 通判		余鈜

崇禎七年

謝開新　叔燠　浙江僉事

崇禎九年

崇禎十二年

崇禎十三年

楊宗簡　建德知縣

崇禎十四年

彭遵琦　推官　考選御史

陳名夏　詳進士

蔣舒　教諭

張星煒

周自省

宋之繩　詳進士

崇禎十五年

彭新 臨清知州

吳顥 詳進士

彭旭 教諭

李源

史燧 詳進士

史權

崇禎十六年

陳名夏 會試百史第一名廷試第一甲第三人授翰林院編修素以文章著名歷官

大業學士翰林參議司經局洗馬詳見縣傳

宋之繩　其武一甲第二人翰林院編修陞江西參議

大清

順治二年

狄敬　詳進士

費達　詳進士

周珽　詳進士

沈璿　臨洮推官

黄元晉

蔣岱　淯川知縣

馬艮史　臨清知縣

狄其麟　靈石知縣

順治三年
彭士俊 詳進士
陳德慶
周啓隆 靜海知縣
周渾 永興知縣
馬世傑
張啓 嵐縣知縣
史周 慎仁知縣
錢運新

順治六年
狄敬 文止 湖廣提學 陝西參議
史燧 旭初 惠潮參政
史賜延 詳進士
蔣民烈
史唐 詳舉人

順治八年任
史泰 詳進士
吳震來

順治九年
吳頡 見末例 部[illegible]
[illegible]偉
鍾新

順治十一年

順治十一年

順治十四年

順治十五年

閩潮州知

甫

[illegible]

史黍 扶九徐溝知縣

史颺廷 虞賡安陛

推官

周斑 延玉太平教授

黄如瑾 聿修福州

戴遴 詳進士

何翽羽

陸昌

黄如瑾 詳進士

董粤固

馬世俊 詳進士

楊甦菁

費鉦

董三策

史忠琇

推官

彭士俊 哲人

潘麒生

趙異

周篆

史鶴齡 詳進士

錢特簡

史唐 子唐

順治十七年

順治十八年

馬世俊 章民 廷試第一人授翰林院修撰陞侍讀

戴遷 文達

崇禎十五年
任文璋
王日曾
魏麟徵 詳進士
任昌

崇禎十六年
魏麟徵
史鶴齡 翰林院庶吉士

溧水

宋
進士
崇寧□年
俞㬊 兵部尚書
政和三年
魏艮臣 參知政事

贈光祿大夫謚敏肅

紹興十八年 吳柔勝 秘閣修撰贈太師謚正獻

嘉定七年 吳淵 柔勝子資政殿大學士參知政事贈少師

政和十年 吳潛 柔勝子狀元左丞相贈少師

咸淳 張璹

元 龔上

上 文吉

明

進士

洪武十七年

洪武二十年

洪武二十一年　齊德更名泰兵部尚

舉人

胡桐主事

劉文知府

沃俊評事

齊德見進士

朱勝伴讀

王士惟

欒鳳經歷

歲貢年縣志缺

姚行參政

劉彥宣教諭

敘薦

洪武二十三年

洪武二十六年

洪武二十九年

建文元年

書

談允　左都御史

房義

杭濬　御史

王性

趙昱　教諭

梅哲　經歷

張禮　教授

朱旭　通判

夏廉　教諭

建文二年　永樂元年　永樂四年

孫讓　王琮

湯茂知縣　宋鎬按察經歷　經綸經歷　孫讓見進士　徐昱訓導　張宗直教授　張豫　張彥聲

朱震御史　張清芝縣丞　李應庚都給事中　知府　葉茂衛經歷

永樂九年 永樂十二年 永樂十六年 永樂二十二年 宣德 正統元年

許英知縣

傅安主事 魏組主簿 夏源經歷 陳紀紀善 徐金

夏泰經歷 陳瓚衛經歷 楊度知縣 任靜都司經歷 陳俊都司經歷 張愷御史 李志恭知縣

景泰元年	景泰五年	天順三年
	王膂　知縣	
丁釗　知縣 王膂　見進士		任蘭　知縣

朱芾　知縣
王讓　都督府經歷
張紀　縣丞
夏斌　衛經歷
孫隊　兵馬指揮
王瓚　知縣
魏寧　訓導
丁鍾　知事
葛寧　知縣

成化七年

成化八年

陳理 德州衛籍知縣

成化十一年

薛欽 盧龍縣籍大理卿

張儒

陳理 山東鄉試見進士

黄本 訓導

孔敏 訓導

谷泰 知事

張璡

趙淵

朱瑜 典儀

端楷 縣丞

蔡榮 經歷

方玘 縣丞

夏華 教諭

成化十三年　成化十六年　弘治元年　弘治二年

范琪見進士
朱杲知縣
喬衍
夏輯知縣

郭濬縣丞
臧志衞經歷
夏宇衞經歷
朱琦經歷
虞周知縣
袁濟州判官
李茂訓導
芮峻
楊詵以下具年

弘治三年			夏琳
弘治五年			章華
弘治六年	范琪僉事		
弘治七年			李杲訓導
弘治八年		張鎮	
弘治九年			傅壽
弘治十年			方楠都司斷事
弘治十一年			俞鉞
弘治十二年			龔鐸州吏目
弘治十三年			孫瑞州吏目

四年 十	弘治十五年	弘治十七年	正德元年	正德二年	正德三年	正德五年
	丁沂副都御史				黃志達員外郎	
丁沂亞魁見進士 黃志達見進士七		苐世昌欽之子	江府通判	甘永昂通判 張璠知縣		
	蔡文昌	劉嵩知縣 張時舉縣丞			王澄衛經歷 張廷芳教諭	

正德七年
正德八年
正德九年
正德十年
正德十一年
正德十三年
正德十五年
正德十六年
嘉靖元年
嘉靖二年

武昔 教諭
王希成 通判
劉鏊 順天亞 魁知縣

經明
俞哲 教諭
章瀇 州同知
尹廷瑞
曹鏞
施崇義
丁昌

嘉靖三年		吳綸	
嘉靖五年		諸相	
嘉靖七年		陳敕	
嘉靖九年		徐錀	
嘉靖十一年		蔣世亨 見臬人	
嘉靖十二年		章棐 知縣	
嘉靖十三年		黃堂	
嘉靖十四年		王道明	
嘉靖十五年		劉楠	
嘉靖十七年		朱恩	

嘉靖十九年
嘉靖二十年
嘉靖二十一年
嘉靖二十二年
嘉靖二十三年
嘉靖二十五年
嘉靖二十七年
嘉靖二十八年
嘉靖二十九年
嘉靖三十一年

郝世亨 長史
張邦謨 知州

丁繼孝
范僎 州同知
范渠
章湖 訓導
范濱 主簿
張渠 縣丞
丁繼文 知縣
周元綬 縣丞

武尚晃 贈寺丞

嘉靖三十三年	嘉靖三十五年	嘉靖三十七年	嘉靖三十九年	嘉靖四十年	嘉靖四十一年	嘉靖四十三年
	徐守正	孫玠知縣		許根善	武尚賓	武尚訓順天鄉試
郤泗教諭	張崇德縣丞	孫玠見舉人	陳獻	章柔通判		
之子						

嘉靖四十五年			章悌教諭
隆慶元年		徐一鳳	
隆慶二年			陳謨
隆慶三年			武尚耕見舉人
隆慶四年		武尚耕詩魁見進士 王守素亞魁 薛維翰 武尚嚴	陳鳳占
隆慶五年	武尚耕左布政		

隆慶六年
萬曆元年
萬曆二年
萬曆四年
萬曆八年
萬曆十六年

王守素 光祿正卿

章甫韶
徐文煒 湖州同知

傅裒
陳日陞
張侁
茆鍾秀
黃天柱
陳鶴鳴
沈名彰
沈立敬 詳舉人
韋秉 瑯山知縣
劉天延

萬曆十九年

萬曆二十二年

萬曆二十五年

萬曆三十一年

萬曆三十二年 楊公瀚 太僕寺正

沈立敬 叙州通判

陳鳴陽 任兵備

武光賜

徐良輔 分宜知縣

王名登 詳進士

楊公瀚 詳進士

王可宗 崖州知州

武光嶽 訓導

俞炎

武光會 衛輝府同知

武光宸

茆王 教諭

計恩義 教諭

劉廷相 大興知縣

章世育 教諭

王可學 鄖陽通判

武光寀 教諭

萬曆三十四年

萬曆三十七年

萬曆四十年

天啟四年

鄉

王名登 保定知府

武化中 黃陂知縣選南道御史

武可奮

趙之驊 詳進士

王懋續 教諭

葉茂春

端大猷 教諭

劉天德

武堯中 竹溪知縣

武焞

王尚敬 教諭

武光岐 詳鄉試

武仕中 西安通判

王可問

天啟五年 趙之驊 禮部郎中

崇禎三年 張韡

崇禎十二年 李用楫 詳進士

崇禎十六年 李用楫 廣東瓊州

劉天命

劉存常

陳于朝

張翰

丁明哲

施一鰲

武可進

張正綱

趙兼善

王民霖

府推官

錢懋元

王應祥

王朝彥

顧貞元

大清

順治二年乙酉科

李蔚 辞進士

王象坤 選州同知

魏元賓

陳雲犀

戴夢賜

武丹中 子兆知縣

順治四年丁亥科

李蔚 鍾山治易授行人陞工部主事

順治十一年甲午科

順治十二年乙未科

李同亨 祥符知縣

順治十四年丁酉科

王芝藻

陳宿

李同亨

湯聘 詳進士

楊靜

王弘履

王啓運

吳正名

武令緒 昭慈州同

司徒士鏊

陳[illegible] 含山訓導

陳[illegible]

李鉦 見舉人

俞[illegible][illegible]

順治十七年庚子科	順治十八年辛丑科	康熙二年癸卯科	康熙五年丙午科	康熙六年丁未科
	湯聘 旗三候選知縣			謝文運 候選知縣
蕭秉晉		李銘 順天鄉試 謝文運 詳進士	趙觀	
		陳鴞	王維弘	

高淳

明	進士	舉人	歲貢
弘治八年			錢啓 經歷
弘治九年			湯景賢 訓導
弘治十年			王賓 訓導
弘治十一年			徐恭
弘治十二年	周鉞 宿州籍 州縣		
弘治十三年			夏稜
弘治十五年			楊驄
弘治十七年			張坤 府同知

[illegible]

正德二年

正德三年

正德四年

正德七年

正德九年

正德十一年

正德十三年

正德十四年

正德十五年

沈顯鑿　訓導

陸庸　訓導

孫禎　宛平知縣

王釗

陳璟

胡蓉　訓導

劉鑑　訓導

芮銑

張介　漳州府判

李潮　知縣

正德十六年			閔聲 訓導
嘉靖元年			張傑 王府審理
嘉靖二年			柳江 知縣
嘉靖四年			張億
嘉靖六年			朱珩 訓導
嘉靖八年			魏鏜 教諭
嘉靖十年			周懷 知縣
嘉靖十一年			邢世爵
嘉靖十二年			邢瓚 知縣
嘉靖十三年			黃鏜 知縣

嘉靖十五年			魏廷輔縣丞
嘉靖十六年		韓叔陽見進士上	石清
嘉靖十七年			夏寧教諭
嘉靖十九年			陳九思知縣
嘉靖二十一年			朱栢
嘉靖二十三年			茍璽訓導
嘉靖二十五年			黃秉石以才望授順德府推官平反大獄遷延州府同知政聲益著稱耿山先生
嘉靖二十六年	韓叔陽按察副使		
嘉靖二十八年		張蘊見進士	
		張應亮御史僉事	

嘉靖二十九年	嘉靖三十一年	嘉靖三十三年	嘉靖三十五年	嘉靖三十六年	嘉靖三十七年	嘉靖三十八年	嘉靖三十九年	嘉靖四十一年
張蘊 按察副使						韓邦憲 叔陽子知府		
	韓孜 郎中				韓邦憲 見進士			邢繼本 順天鄉試
張蓉 縣丞	張贇 主簿	陳九德	張著 知州	陳九齡 知縣		陳九成 縣丞	劉錚 教諭	陳九儀 通判

嘉靖四十三年	任衛輝知府	張頀 教諭
嘉靖四五年		張應圖 知縣
隆慶二年		孫夢龍 通判
隆慶三年		柳夢暘 訓導
隆慶四年		陳宗堯 知縣
隆慶六年		夏景星 訓導
萬曆元年		吳大洋
萬曆二年		邢世望
萬曆四年	韓棟 江夏知縣	邢繼書

萬曆十年

萬曆十九年

萬曆二十年

張應望 烏程知縣

吳尚伯

魏成忠 詳進士

張應望 詳進士

孫思孝 合州同知

邢仕謙

李洛 教諭

邢尚友 訓導

王美韶 漳州通判

黃可清 福州通判

孫自強 慶符知縣

邢仕敬 松溪教諭

邢仕誠 通州訓導

萬曆四十一年

萬曆四十四年

贈尚寶卿

邢振羽 邵武知府

陳萬善 詳進士

韓仲雍 詳進士

張司重 延平府同知

徐天與

邢繼彬 汝州判 廣西鹽運司提舉

邢仕廉

邢繼謙 瓊山縣訓導

邢仕揚 知縣

袁日章

楊思學 錢塘縣丞

程琮

萬曆二十六年　魏成忠　兵部主事陝西觀察

邢振春　凌水知縣

劉增慶　寧國訓導

劉增德　寧國訓導

諸應龍　衢州學正

邢仕邦

吳學夔　漢中府推官　臨潼州知州

陳弘範　常州訓導

胡有英

張應覲　寧國訓導

萬曆三十二年

韓仲雍　歷官福建海巡道

萬曆三十四年

王養蒙

劉應騏

邢仕功　詳皋人

王薇　溫縣知縣

徐一鳳　武學教諭

邢振豪　廬州教授

魏翰先　馬龍州同

葛奇祚　詳皋人

徐有斌　邳州學正

李昌袠　崇明訓導

秦之癸

萬曆三十八年
陳萬善 金華知縣陞兵部郎中

萬曆四十六年

天啟二年
陳調鬥 戶部主事陞金衢兵備道

崇禎元年
徐一范 授中書擢御史巡按河南歷大

徐一范 詳進士
陳調鬥 詳進士

周自新
夏士豪
王明科
吳兆祚

崇禎三年

同道

崇禎六年

崇禎十[illegible]年

崇禎十三年

葛奇祚會魁歷任四川兵巡道

邢任功

胡有英舞陽知縣

葛奇祚詳進士

大清

順治二年乙酉科

唐懋淳

陳希杰寧國府教授

張正邦華亭訓導

順治八年辛卯科

順治十一年甲午科

吳會璋

徐寅　中順天鄉試一百五十七人

徐迅　考選知縣

黃夢蝠

王上林　湖州府通判

葛黃裳　太康知縣

徐寅　詳舉人

吳江月　吳縣訓導

孔胤叢　考授通判

胡汝往　宿州訓導

邢振品　金華知縣

順治十七年庚子科

順治十八年辛丑科

康熙元年

孫奏 廷試三甲第九名候選知縣

孫謙 第三十一人

孫奏 第五十人 詳進士

張正苞

孫奏 詳舉人

邢振業

孔璋祚

邢襄

江浦

明

洪武二十九年

建文元年

永樂三年

永樂六年

進士

舉人

龔英 教諭

劉覲 御史

史雄 郎中

吳智 推官

王信 知縣

王廣 通判

王恕

李鉉

歲貢 縣志缺年

沙毅 知縣

徐駟 給事中

葉讓 經歷

周敏 主事

張善 御史 鹽運使

胡能 經歷

月輝 經歷

臧理 審理

敘陰 附

何清　縣丞

馬常　主事

潘智　知縣

陳憲　審理正

郁貴　知州

李和

諸葛平　吏部郎中　四參議

檀復　主事

李仲艮　邵武推官

宣德四年

宣德七年

周倫教授

謝卓

魏榮檢討

魏廉知永康縣

陳仲檢校

裴覺秀縣丞

周倫見舉人

王義縣丞

弓信檢校

鄒暉

毛天理知府

正統六年
正統七年
景泰四年
景泰七年

張瑄南刑部尚書

張瑄見進士
周廣伴讀
莊杲見進士
郁珍左長史
王徽見進士

李信新淦知縣
韓元主事
裴顒知縣
趙昂按察知事
韋賢推官
趙福府經歷
黃通知縣
夏勤典寶
郭瑶伴讀
陳魁經歷

天順三年

天順四年

王徽

[redacted]

蔣達知縣

石淮亞魁見進士

魯長學正

金傑

張謹

丁廣見舉人

朱濬衛經歷

劉憲州同知

孔碩主簿

月隆吏目

董瑄

毛翔

成化元年

丁廣知縣

嚴珩典史

成化二年　成化七年　成化八年　成化十年　成化十三年　成化十九年

莊㬅　檢討南吏部郎中
石淮　庶吉士提學僉事
吳綮　布政使

董舜　教授
吳泰　見進士
林鈺
馮浩　見進士

王經
張麟　訓導
涂平　典儀
嚴良　紀善
徐義　訓導
弓成
張璀　訓導
毛鵬
朱斌
袁浩　縣丞

張綱　尚書瑄之子通

成化二十二年

成化二十三年
馮浩 知州

弘治八年

弘治九年
弓元 成之弟會試亞魁岳州推官階山東

李錦 知縣
王瑄 知縣
弓元 見進士
吳鸞 知縣
張紡 瑄之弟教授
嚴紘 見進士

丁傑
趙琮
張應奎
檀聰 訓導
裴瓘 衛輝府推官
張純 訓導

年	進士	舉人	貢
	道御史巡按江西		韋暹縣丞
弘治十四年		王瑋見進士	王源授王府教
		陳瑞府同知	王璽知事
弘治十五年	嚴紘左布政使		吳珍
弘治十七年		王章見進士	蔣桓平度州同
弘治十八年	王章		張龍訓導
			陳欽訓導
正德二年		袁煥府同知	馬玹教諭
正德五年		張淵知縣	狄泉訓導
正德六年	王瑋御史		萬鉞訓導

正德八年
正德十二年
嘉靖元年
嘉靖四年
嘉靖六年
嘉靖十三年
嘉靖二十五年
嘉靖三十一年
嘉靖三十二年

孔麐刑部主事陞知府
朱賢御史

毛經知縣
孔麐見進士
袁禎知縣
茆秀知縣
張棠
張鋮瑄之孫府通判
朱賢見進士
張邦直知縣
顧昊通判

李浦教諭
趙雋
姚裕
茆秀見舉人
張縝教諭
黃勑
吳麒教授
張奎州學正

嘉靖三十八年
汪若泮　貴州衛籍

朱雲鸞

戴恩　府教授
滕節　教諭
謝增
趙定　知縣
嚴恩寬
楊鵬　知縣
弓弼　教諭
檀瑋　訓導
劉瑋　訓導
陳瓚　訓導

裴海　州學正
李欽　教授
楊鶴　州吏目
吳宿
韋棠　教諭
管烘　縣
王岳
王煥　訓導
胡繡　教諭
丁文昌　訓導

隆慶元年

隆慶二年

隆慶三年

隆慶四年

隆慶六年

萬曆元年

萬曆二年

萬曆四年

黃四科 龍陽知縣調石城

嚴丕承 紘之孫孝豐知縣陞惠州府同

莊鏜 訓導

弓調

王釆

秋弼 遂安訓導

姜繼禮 知縣

周臣 訓導

劉聲振 應山知縣

祝鈳 訓導

周楨

萬曆二十年
丁遂 見進士

萬曆二十三年
丁遂 授易州知州寧波同知南工部郎中雲南僉事

熊師望 處州推官陞深州知州

蔡侃 訓導
徐可遠 訓導陞知州
朱雲龍 雷州府判官
楊戚材 鄒之子合肥訓導陞教授
毛從吉 訓導
楊譽 登邁知縣
謝天祐 儀真訓導

萬曆三十四年

萬曆四十年

萬曆四十一年

陳應元 幼白治書任工部主事陜西學

陳應元 詳進士

丁明登 遂之姪見進士

胥自修 知縣

林尚燡

林尚炫

張鳳翔 霍山知縣

毛從古

韓鋹 嵊縣訓導

吳承茂

毛洲

陶情 滁州訓導

管汝賢

趙體安

管汝弼 袁州府教授

萬曆四十四年
萬曆四十六年
天啓元年
崇禎六年
崇禎九年

道山東巡撫都御史
丁明登 蓮侶 泉州府推官衢州府知府

胡承熙 均州知州
劉日琏 南豐知縣
月中桂 耀州知州
夏鼎 吳縣教諭
蘇篆
殷鉉錫

葉聚義 教諭
張可仕 知縣
弓九德
蔡芬
朱思九
胥應午
張可仕 知縣
劉世業
莊必壽 教諭
周思皐 教諭

沈昌裔
余應蛟
胡承烈 教諭
姚世琮 訓導
林伯龍
楊際時 訓導
葉爾喬 知縣
葉先春 教諭
余自奇
葉魁春 訓導

崇禎十二年

崇禎十五年

胡爾俊 餘杭知縣

張可聞

盛世樞

趙八元

沈昌期

吳懋卿 訓導

許三奇 教諭

金注 教諭

毛嘉徵 訓導

趙遂昌 訓導

十

丙

順治二年

順治五年

鄒嵩　訓導

俞履綏

林振藻

孫夢來

雷應時　伯殷授養利知州改定州性伉爽有氣節喜讀書民服其化

嚴雲　建寧府判

順治十二年
順治十五年
順治十八年
康熙元年

吳之樞 由中書歷陞紹興知府
劉日珩 四川知縣
鄭駿 知縣
周于漆 懷柔知縣
夏芳 考州判
孫夢采
張雲蓀

六合

宋　進士

慶曆三年　侁著　知州事

乾道八年　趙萬

淳熙八年　錢有嘉

開禧元年　孫傚

明　進士　舉人　歲貢

洪武十七年

洪武十八年　余文　給事中

洪武十九年

舉人

余文　見進士

歲貢

夏正

嚴雍

薛貞

洪武二十年			張義 典史
洪武二十一年			侍懋 教諭
洪武二十二年		許賜 僉事	
洪武二十三年			吳昆 教諭
洪武二十四年			姜琳
洪武二十六年			周瑛 典史
洪武二十七年			褚著
洪武二十九年		傅謙 教諭 縣丞；吳珏 訓導	何琮 知縣
洪武三十年			許彬

建文元年

建文二年

永樂元年

永樂三年

永樂四年

永樂五年

永樂六年

永樂七年

夏潤　府經歷

尹旻　訓導

孫智　翰林院習譯字　府檢校

繆衍　學錄

唐忠　通判

季同　知縣

俞亨　府檢校

陸臨　衛經歷

丁子受

鄭獻　見進士

王用　知縣

永樂八年	永樂九年	永樂十年	永樂十一年	永樂十二年	永樂十三年	永樂十四年	永樂十五年	永樂十六年	永樂十七年
					鄭猷檢討				
				鄭猷見進士					
胡曄御史	郭曦	郭維新通判	魏杲	朱昭府照磨	馬昌主簿	吳秉府照磨	曹奎	侯旭主簿	馬虢郯縣

永樂十八年			王晟主簿
永樂十九年			周文
永樂二十二年			許端
宣德二年			徐弘
宣德五年			王瑄縣丞
宣德七年		田琮教諭	王敬衛知事
宣德十年			王熹縣丞
正統二年			徐信縣丞
正統三年		李璘亞魁教諭	祁福縣丞
正統五年			馬驤

正統七年

正統十年

正統十一年

正統十二年

正統十三年

景泰元年

景泰二年

景泰三年

景泰四年

景泰五年

鄭瑛 主事

鄭瑛 見進士

李景脩 知縣

沈淵 知縣

夏惠 縣丞

蔣貴 縣丞

茹斌 知縣

朱龍

沈諒

袁羲 知縣

袁敏 州判官

陸斌 縣丞

天順二年

天順三年

天順四年

天順六年

天順七年

黃縉　通判

詹倜　知縣

吳善　知縣

胡深　旌表孝子

陶亨　州同知

李廣　縣丞

陸富　主簿

季恒　知縣

胡漢　府知事

陸淵　縣丞

孫景禎

	天順八年	成化元年	成化二年	成化四年	成化五年	成化六年	成化七年	成化八年
					俞祿南給事中			
		俞祿見進士					余深	黃肅見進士
陸瓛衛經歷	唐繼宗		史海府照磨	季昊		孫渠知縣		陳璧縣丞

成化十[illegible]年		謝瑄府同知	俞冕
成化十二年			劉文審理副
成化十三年		袁文紀通判	
成化十四年	黃肅按察副使		曹永寧
成化十六年		王弘禮記魁見進士 印寶府同知	朱巘主簿
成化十八年			胡鵬府經歷
成化二十年			林允義按察知事
成化二十二年			楊冬
弘治元年			孫景仁州同知

弘治二年
弘治五年
弘治六年
王弘 南御史 按察副使
弘治七年
弘治八年
弘治九年
張瓚 知縣
弘治十年
弘治十一年
弘治十二年
弘治十三年

王□ 訓導
王璽
陸楷
周弼 州判官
嚴倫 訓導
袁泉 知縣
王紳 訓導

四		黃宏見進士	汪洋太僕主簿知縣
弘治十年	黃宏左參議死節贈太常少卿		夏鑾
弘治十七年		李傑見進士	陳紳衛經歷
正德元年			楊誠教諭
正德三年			黃仲明宣慰都事
正德五年			劉瑀知縣
正德七年			俞莊
正德八年		張愷府同知	
正德九年			毛晃訓導

正德十一年
正德十二年　李傑僉事
正德十三年
正德十四年
正德十五年
嘉靖元年
嘉靖二年
嘉靖三年
嘉靖四年　馬逢伯知州
嘉靖五年

袁榘通判
陸鏷鹽課司提舉
季維教諭
陸金衛經歷
毛琇訓導
陸德
陸昌知縣
吳鎮

嘉靖九年
嘉靖十一年
嘉靖十二年
嘉靖十三年
嘉靖十五年
嘉靖十七年
嘉靖十八年
嘉靖十九年

張在 知縣
劉燧 複姓張更名緒

章憲
張昻 訓導
孫簡
袁悌 推官
張舉 市舶提舉
黃紹文 教諭
錢潢 訓導
鄭洛 訓導
陳清

嘉靖二十年

嘉靖二十一年

嘉靖二十三年

嘉靖二十五年

嘉靖二十七年

嘉靖二十九年

嘉靖三十一年

嘉靖三十三年

湖廣魁僕川籍員外郎

金鴻 知縣

黃驊 肅之子府同知

杜講 訓導

章慈 訓導

李禾 主簿

陸澍

季思 知縣

朱一峯 縣丞

徐沂 教諭

朱槃

嘉靖十四年

嘉靖三十五年

嘉靖三十[illegible]年

嘉靖三十九年

嘉靖四十一年

嘉靖四十三年

嘉靖四十五年

隆慶二年

隆慶三年

龍施雲南解元雲南前衛籍郎中

徐繼芳教授

謝銳

章瑚訓導

侯鈞教授

潘何訓導

覃環教授

孫可久教授

李繼嶽知縣

隆慶四年
隆慶六年
萬曆元年
萬曆二年
萬曆四年
萬曆七年

曹漢
季宮
孫拱辰 子極 江西撫州府推官陞臨清知州

徐楠
馬應讖 訓導
曾華
季思
方澄澈
錢應元 來女縣教諭
李思皐 平樂主簿
孫可立 竹間未廷試

年	進士	舉人	貢
萬曆[illegible]年		厲昌謨 詳進士	曾幸 岑溪縣知縣；季[illegible] 州判
萬曆二十五年	厲昌謨 常籍宜黃知縣陞兵部車駕司員外		
萬曆二十八年		黃三[illegible]	愉會 教諭
萬曆三十七年		汪元哲 詳進士	陸鍊 和州訓導
萬曆三十八年		葉時[illegible]	汪文選
萬曆四十三年	汪元哲 魯生嚴州知府		

萬曆四十六年

天啟元年

天啟七年

汪全聲 瓊州知州
胡士寶 隣水知縣
方宮桂 順義知縣
馮良謨 涪州知州
袁一理 肇慶府授
汪全應
汪全智 詳進士
朱應宗 縣丞
徐樹 蕭山訓導
潘世奇 詳進士
周思兼
沈奇瑛 國子監博士
胡大化
金鉉
吳嘉禎 詳進士
沈坊 訓導

崇禎元年

潘世奇　監察御史四川巡按

汪全智

崇禎六年

崇禎七年

汪國策　叔獻兵部郎中真定知府

汪國策　詳進士

章起經　可權壽州學正

傅希說

王世爵

周思宸

張問達　訓導

陳紀

陳士英

錢兆暘

馬夢夔

厲士塾　訓導

朱國賓　通州

崇禎十年

崇禎十一年

崇禎十二年

吳嘉禎 源長 戶部 陞福建漳泉道

姚思德 瓊州通判

馮世泰

方文煒

孫國器

黃士傑

孫國敉 原名國[illegible] 延試第[illegible]授延平[illegible]訓導欽[illegible]授內閣中書

王守正 巨[illegible] 知州

崇禎十五年

崇禎十六年

孫爾蕃　崇禎元年拔貢

侯元奎

談王道

毛至潔　沙縣丞

厲振嶽　訓導陞浙江仰縣

陸世祚　選貢

貢大庚

崇禎十□□年

孫胤蕃 縣丞
汪國瞻 惠州府通判
胥宇
王申
陳瑜翰
章起寶

大清

順治二年乙酉
科

汪滙 詳進士

汪六樂
唐德祥 太平府訓

順治六年己丑科

汪漄 景陵縣知縣

導

袁逢盛 常州教授

陸龔 鎮遠知縣

孫汧如 阿漄靖江訓導陞含山教諭

順治八年壬辰科

康熙元年

季胤仍 候選通判

曾祉齡 臨淮訓導 陞如皐教諭

汪洴 福清知縣

王憲 魯山縣丞

胥肴 候選通判

汪時泰

毛宴用

毛需用 候選州同

汪國霖

李逢詔

諭曰設科取士代有殊制漢人尚經術而重節義晉人尚門第而制流品唐人尚詩賦而兼薦舉宋人尚理學而採弘博洎及有明雖有人材明經賢良方正等科旋即報罷獨制科遂為定格或者謂用人以言不如以行取士以文不若以質然當其盛時名卿碩輔盛德大業舉而用之不啻取珠于淵採玉于山然則科第非能重人人重科第耳求為可知尚亦圖其實哉

薦舉表

玉山成淵珠水岸腴人才挺生瑕不掩瑜知則不舍舉牛口下功業爛然拔濯斯大作薦舉志

明

	上江二縣		
洪武	陳遇（江寧授尚書不拜）	張銘（善書吏部尚書）	周時中（吏部尚書）
	允仁（上元明經翰林博士）	王興宗（上元儒士知府）	杜環（儒士太常寺丞）
	薛原義（知州）	陳祥（江寧知州）	陳世舉（太常寺卿）
永樂	鄭琳（主事）	王脈（上元按察使）	
	嚴岳（知州）	姜濬（江寧楷書按察副使）	陳中復（江寧楷書翰林待詔）
正統	八通（生員禮部）		

句容

洪武	周保懷才抱德知縣	樊傑經明行修教諭	張文昱明經侍郎
	許淳明經知縣	黃瑛教授	朱純儒士教諭
	朱緯儒士主簿	黃銓楷書主簿	湯禹文人材主事
	吳良老人知府	孫伯玉老人知府	徐泰慶老人通判
	張良成老人縣丞		
永樂	翁學秘閣修書太常典簿	胡熟儒士訓導	江源儒士訓導
	戴玉知州	鐵力必失序班	戴顒楷書主事
	孫英楷書青州判官	潘弘楷書司務	劉復楷書丁副
宣德	王道明經明行修通判	沙瑛能書通政知事	曹冕能書中書舍人

朝代	一	二	三
	周巖 懷才抱德府經歷		
	徐淮 楷書評事		
	溧陽		
洪武	王可宗 孝廉知縣	達貫道 賢良縣丞	馬簡庭 賢良知事
	史叔傳 通經州同知	繆元 明經紀書	王可貞 明經長史
	王綱 明經訓導	王玉 明經提舉	徐仲賢 儒士知府
	晉仲淵 儒士廉訪使	芮耆孫 知州	梁初 按察使
	蔣廷 人材知縣	陳翔 人材通判	
永樂	朱亞春 孝行司樂	周廉 修實錄員外郎	梁濟 修大典知縣
	梁常 修大典知縣	王珪 明經訓導	梁章 明經都給事中

梁良 明經司諫　梁貞 明經知縣　梁磯 明經府經歷

史世忠 明經主簿　史公澤 茂材僉事　史文仲 生員布政司檢校

許宗亨 儒士運使　王珽 知縣　梁進二 知縣

梁禮 按察副　梁礴 教授　王文達 府經歷

梁礪 楷書知縣　楊輝 楷書主事　吳豫 楷書縣丞

葛彥忠 人材通判　費恭達 人材知縣　朱彥忠 人材照磨

楊文徽 明經知縣　蔣亞計 人材評事　徐吉 人材兵[illegible]

達聰 人材兵馬指揮

溧水

洪武

魏澤 刑部尚書　湯艮臣 明經知縣　袁麗融 明經知縣

朱潤祖明經訓導　端木以善儒士尚書　姚敬重儒士御史

嚴與聲儒士知州　黃養性儒士知縣　張天祿儒士主簿

嚴伯修儒士教諭　王艮人材按察使　趙居仁人材左通政

陳永人材郎中　汪拳人材知府　曹文慶人材知府

薛伯文人材知縣　宋原人材縣丞

永樂

端木孝文儒士待詔　端木孝思儒士員外郎　嚴恪儒士助教

吳伯堅人材檢校　黃鑑人材州判官　黃恒人材知縣

李鉉人材府照磨　駱元禮人材縣丞　陳福人材知事

張景宣人材知縣

高淳

洪武
夏璿 經明行修知府　甘霖 才優德瞻布政使　劉楧 臺舉知縣
劉穆 軍門獻策郎中　李旭 人材知縣　王宗禮 人材主簿

永樂
桂子淵 楷書縣丞　趙澄 人材知縣　邢興 人材知府

景泰
史謙 主簿

江浦

洪武
馬信 孝廉員外郎　鄭自强 人材衛經歷　韋志善 人材大使

永樂
張俊民 楷書督府都事知縣

六合
唐相 知州　林肅 明經縣丞　謝貞 人材巡檢

永樂
邵顯 楷書主簿　凌縞 楷書縣丞　毛丙 楷書主簿

[illegible]孫鶴階書　布政使司經歷潘永忠人材大

論曰用人欲求真才矣然糊名棘院但暗中揣摩合之程其後効文與人不必符而兩無罪至於薦舉此以名求彼以實應一蹟則兩受其過雖內不避親外不避讐至公亦誰諒哉不保厥往此薦舉之所以不能行也實則天之生才既不擇地而進士必限以出途雖可防濫售其轗耕太息屠釣之門久絕良馬素絲之蹟矣

江寧府志卷之十四終

江寧府志卷之十五

歷官表上

爲民求牧虔務授職銅虎竹符良二千石及股肱佐保釐是緝名氏爵里咸所欽式作歷官志

漢

丹陽太守

光武建武六年　李忠　東萊黄縣人中水侯改豫章金陵志有任光藍誤析忠之事爲光也攷本傳删之

靈帝熹平元年　陳寅

臧旻　廣陵射陽人嘗爲揚州刺史遷中郎將年無考

周尚　廬江縣人後爲袁術所逐

獻帝

初平元年　周昕　孫策尋殺之

興平元年　吳景　吳郡人劉繇逐之復任加揚威將軍吳志有袁胤徐琨俱未任太史慈係自稱故不書

建安八年　孫翊　吳郡富春人孝廉偏將軍後爲郡吏所害

九年　孫瑜　吳郡富春人屢加綏遠奮威將軍

朱翔　年無考

張馴　濟陰定陶人辟公府徵拜山東尚書終大司農年無考

十四年　蔣濟　平阿人歷太尉封都鄉侯謚景

呂範　汝南細陽人奮威將軍宛陵侯遷揚州牧吳進大司馬

	高瑞	征東將軍
	唐翔	年無考
帝禪 建興十三年	諸葛恪	琅琊陽都人吳嘉禾三年撫越將軍遷左將軍歷太傅
	滕胤	北海劇人吳都亭侯改會稽加衛將軍
延熙十五年	李衡	襄陽人吳太元二年左司馬加威遠將軍
十六年	聶友	豫章人吳建興二年
吳 王皓天紀四年	沈瑩	死於陣
晉	丹陽太守	一作內史
惠帝 永興元年	朱建	爲揚州刺史曹武所殺
	王曠	陳敏據江東曠棄官遁

懷帝永嘉元年　王導　瑯琊臨沂人加輔國將軍固辭歷太傅丞相司徒謚文獻

孔冲　會稽山陰人

愍帝建興　薛兼　郡人安陽鄉侯尋轉尹

丹陽尹

元帝大興元年　薛兼　遷尚書領太子少傅

四年　劉隗　彭城人遷鎮北將軍都督假節加散騎常侍

戴邈　廣陵人加左將軍進尚書僕射贈衛將軍謚穆

諸葛恢　瑯琊陽都人遷侍中歷尚書令贈儀同三司謚敬

明帝太寧二年　溫嶠　太原祁縣人秀才加中壘將軍歷散騎常侍侍中謚穆

晉書桓彝封萬寧縣男丹陽尹[illegible]

上言詔補彝宣城內史金陵[illegible]

		彝爲尹蓋句讀之訛云
成帝咸和元年	阮孚	陳留尉氏人遷都督交廣寧三州軍事領廣州刺史　晉書有王嶠未仕
	羊曼	泰山南城人加前將軍死難贈太常　金陵志載許柳出蘇峻僞命劉之
四年	褚裒	河南陽翟人遷中護軍歷尚書左僕射贈衞將軍謚穆
五年	顧衆	吳郡吳縣人遷侍中歷尚書令贈特進光祿大夫謚靖
	高悝	廣陵人光祿大夫封建昌伯
咸康元年	何充	廬江灊縣人建威將軍歷侍中錄尚書事贈司空謚文穆
五年	殷融	無考

八年　桓景　譙國銍縣人歷中領軍護軍將軍封長社伯

周謨　汝南安成人遷侍中封西平侯贈金紫光祿大夫謚貞年無考

穆帝永和三年　劉惔　沛國相縣人侍中

王胡之　瑯琊臨沂人遷中郎將司州刺史

升平　孔嚴

庾龢　潁川鄢陵人遷中領軍

王劭　瑯琊臨沂人遷吏部尚書左僕射謚簡年無考

帝奕太和　韓伯　潁川長社人遷吏部尚書贈太常

武帝寧康元年　王坦之　太原晉陽人中書令遷都督徐兗等州軍事贈安北將軍謚獻

太元四年　王蘊　太原晉陽人加散騎常侍遷鎮軍將軍贈開府儀同三司

五年	沈嘉	
八年	王恭	太原晉陽人遷中書令
	王琨	琅琊臨沂人襲始興公贈太常年無考
二十年	王雅	東海剡人秀才領太子少傅歷左僕射贈儀同三司
哀帝隆安元年	王國寶	太原晉陽人後將軍進左僕射
二年	車胤	南平人輔國將軍遷吏部尚書 胤本傳與江績相屬金陵志誤以胤爲績猶載桓彝事也今正之
	王愷	晉陽人復遷吳郡內史贈太常
五年	司馬恢之	宗室驃騎司馬死難贈撫軍將軍
元興元年	袁豹	陳郡陽夏人敢太尉諮議參軍

三年　孟昶　遷監中軍留府事

義熙七年　郗僧施　高平金鄉人襲南昌公遷南蠻校尉假節

八年　劉穆之　東莞莒人太尉司馬遷左僕射前軍將軍封西華縣子

十二年　徐羨之　東海郯縣人吏部尚書遷尚書僕射降宋爲司空

宋

武帝永初元年　檀道濟　高平金鄉人封永脩縣公加右軍遷南兖州刺史

二年　鄭鮮之　滎陽開封人遷都官尚書歷右僕射

三年　謝方明　陳郡陽夏人改會稽太守

徐珮之　東海郯人改吳郡太守

文帝元嘉　江夷　濟陽考城人吏部尚書加散騎常侍進右僕射贈前將軍

六年	王　裕	琅琊臨沂人尚書令歷侍中謚文貞
	王準之	琅琊臨沂人贈太常
八年	劉義慶	宗室臨川王中書令加輔國將軍歷開府儀同三司
十二年	蕭摹之	南蘭陵人
十三年	何尚之	廬江灊縣人遷祠部尚書歷中書令
十五年	王　鑒	開府儀同三司
十七年	劉　湛	南陽涅陽人金紫光祿大夫散騎常侍以罪誅
十八年	孟　顗	安昌人進尚書僕射
	羊元保	泰山南城人遷會稽太守歷散騎常侍
二十一年	徐湛之	東海剡縣人冠軍將軍加散騎常侍

二十五年 趙伯符 下邳僮縣人護軍將軍

二十五年 徐湛之 再任領太子詹事遷尚書僕射贈司空謚忠烈

三十年 褚湛之 河南陽翟人左衛將軍

王僧達 琅琊臨沂人歷中書令金陵志有臧質宋書有尹弘俱劭所用不書

孝武帝孝建元年 褚湛之 輔國將軍再任領石頭戍事遷右僕射

蕭思話 南蘭陵人中書令遷使持節五州諸軍事安北將軍贈開府儀同三司謚穆

褚湛之 中書令三任

劉延孫 彭城莒縣人遷吳興太守歷侍中左僕射贈司徒謚文穆

	顏峻	琅琊臨沂人加散騎常侍中書令
三年	劉遵考	宗室營浦侯加散騎常侍遷右僕射歷侍中
	顏峻	右將軍再任遷東揚州刺史
大明元年	劉子仁	宗室永嘉王遷衛尉
二年	褚湛之	四任進左僕射贈侍中謚敬
四年	孔靈符	會稽山陰人改會稽太守
	劉秀之	東莞莒縣人遷右僕射歷使持節都督州郡諸軍事安北將軍雍州刺史贈侍中謚忠誠
五年	王僧朗	琅琊臨沂人遷左僕射歷侍中贈開府謚元
八年	柳元景	河東解縣人侍中尚書令開府儀同三司

王子業景和元年	顏師伯	琅琊臨沂人進左僕射加散騎常侍
	劉子眞	宗室始安王遷南兗州刺史
明帝泰始二年	王彧	琅琊臨沂人右僕射遷中書令歷太子太傅贈開府儀同三司謚毅
五年	袁粲	陳郡陽夏人中書令遷尚書令歷司徒侍中死義
	劉景素	宗室建平王遷吳興太守歷開府儀同三司死義
	劉秉	宗室左衞將軍遷太子詹事
	褚淵	河南陽翟人散騎常侍出爲吳興太守歷中書令降齊爲司徒
王昱元徽二年	劉秉	散騎常侍再任累遷尚書令中領軍死義
順帝昇明元年	王奐	琅琊臨沂人冠軍將軍出爲吳興太守降齊歷雍州刺史
二年	沈文季	吳興武康人降齊爲侍中

齊

高帝建元元年 王僧虔 琅琊臨沂人侍中撫軍進左光祿大夫遷征南將軍特進贈司空謚簡穆

孔山士 無考

蕭子良 宗室聞喜公遷南徐州刺史進封竟陵王歷太傅司徒謚威

王敬則 晉陵南沙人尋陽郡公遷鎮軍將軍歷大司馬

武帝永明元年 蕭晃 宗室長沙王鎮軍將軍散騎常侍歷車騎將軍侍中贈開府儀同三司謚威

吕僧珍 東平山陽人進前鋒大將軍降梁封平固侯

李安民 蘭陵承縣人撫軍將軍進左僕射贈鎮東將軍謚肅

二年 王儉 琅琊臨沂人衛軍將軍領國子祭酒太子少傅歷尚書令贈太尉侍中謚

文獻

三年　蕭景先　宗室新吳侯詔假節司州諸軍贈侍中征北將軍謚忠

六年　王晏　琅琊臨沂人散騎常侍遷江州刺史留爲吏部尚書歷侍中尚書令進驃騎大將軍

七年　蕭鏘　宗室鄱陽王加散騎常侍遷江州刺史歷司徒將軍

蕭子眞　宗室建安王轉左衛將軍出爲郢州刺史歷鎮軍將軍

八年　蕭順之　南蘭陵人領軍將軍贈鎮北將軍謚懿

十年　蕭子敬　宗室安陸王散騎常侍進車騎將軍南兗州刺史

蕭曄　宗室武陵王散騎常侍前將軍遷侍中歷開府儀同三司贈司空謚昭

建武　王亮　琅邪臨沂人進尚書左僕射降梁歷左光祿大夫

隆昌 徐孝嗣 東海剡縣人散騎常侍前將軍丹江公遷左僕射累加侍中司空尚書令

東昏寶卷 永元元年 蕭坦之 南蘭陵人右將軍尚書左僕射進封臨汝公贈中將軍

蕭寶攸 宗室邵陵王遷江州刺史進秘書監

二年 蕭寶嵩 宗室晉熙王冠軍將軍遷徐州刺史進中書令

和帝 中興元年 蕭穎達 蘭陵人前將軍降梁封作唐侯

梁 武帝 天監元年 王志 瑯琊臨沂人冠軍將軍歷中書令金紫光祿大夫謚安

二年 王份 瑯琊臨沂人侍中左光祿大夫

沈約 吳興武康人建昌侯領軍將軍遷侍中歷少傳謚隱

五年　蕭偉　宗室建安王撫軍將軍

八年　王瑩　琅琊臨沂人建城縣公散騎常侍中軍將軍歷尚書令開府儀同三司

王茂　太原祁縣人望蔡公侍中開府儀同三司進太尉

十二年　蕭綱　宗室晉安王宣惠將軍改荆州刺史遷輕車將軍

十三年　韋叡　京兆杜陵人知武將軍遷中護軍贈侍中諡嚴

十五年　蕭深業　宗室長沙王改湘州刺史

蕭綜　宗室安前將軍遷南徐州刺史尋叛降魏

蕭象　宗室桂陽王寧遠將軍

蕭恭　宗室衡山侯中書監遷衡州刺史歷侍節仁威將軍贈侍中諡僖

普通元年　蕭綱　再[illegible][illegible]侍中出爲平西將軍使持節都督七州諸軍事

二年 蕭機 宗室安成王明威將軍遷湘州刺史

袁昂 陳郡陽夏人歷侍中司空謚穆正

七年 蕭繹 宗室湘東王遷荊州刺史

中大通元年 蕭綸 宗室邵陵王遷侍中揚州刺史

蕭紀 宗室武陵王輕車將軍改會稽太守後稱帝於蜀

三年 蕭綸 再任出爲南徐州刺史歷司空蕭淵藻梁書未拜尹删之

蕭正德 宗室西豐侯後引景入寇僭號臧盾梁書爲丹陽丞山東通志作尹誤

大同三年 何敬容 廬江灊人中權將軍改尚書令

蕭會理 宗室南康王宣惠將軍出爲使持節都督七州諸軍事死難

王珍國　瑯琊臨沂人宜陽侯散騎常侍贈車騎將軍謚威

王銓　瑯琊臨沂人侍中年無考南史張纘九年遷尹未拜不錄

中大同三年　孔休源　會稽山陰人出爲晉安王長史歷金紫光祿大夫贈散騎常侍謚貞

王固　瑯琊臨沂人舉秀才累加貞威將軍降陳歷金紫光祿大夫

簡文帝大寶元年　蕭大鈞　宗室西陽王宣惠將軍改監揚州

蕭大圜　宗室樂梁王宣惠將軍奔魏

二年　蕭大威　宗室武寧王信威將軍

徐陵　東海剡縣人安右將軍年無考

元帝承聖元年　王沖　瑯琊臨沂人中權將軍開府儀同三司遷左光祿大夫

袁泌　陳郡陽夏人降陳歷雲旗將軍

敬帝 紹泰元年 杜稜 吳郡錢塘人通直散騎常侍右衛將軍
王冲 南徐州大中正再任
太平元年 胡穎 吳興東遷人仁威將軍

陳

武帝 永定元年 侯安都 始興曲江人封曲江公出爲都督南豫章諸軍事
程靈洗 新安海寧人出爲高唐太守歷安西將軍封重安侯謚忠壯
侯安都 再任進封桂陽郡公歷征南大將軍
陳擬 宗室散騎常侍贈領軍將軍
王伯宗 光大元年 吳明徹 秦郡人領軍將軍遷南兗州刺史
陳方泰 宗室南康王仁威將軍使持節都督歷侍中入隋爲掖令

文帝 天嘉元年	杜稜	領軍將軍再任加特進侍中贈開府儀同三司謚成
	王冲	特進左光祿大夫三任贈侍中司空謚元簡
三年	袁樞	陳郡陽夏人吏部尚書加散騎常侍進左僕射贈侍中謚簡懿
	到仲舉	彭城武原人尚書左僕射封建昌侯
宣帝 大建元年	陳伯信	宗室衡陽王宣惠將軍改中護軍歷西衡州刺史
	陳伯謀	宗室桂陽王信威將軍加侍中歷散騎常侍
十一年	陳叔堅	宗室長沙王翊左將軍出爲江州刺史進司空
十三年	毛喜	滎陽陽武人散騎常侍遷吏部尚書加侍中
	沈君理	吳興人明威將軍加左民尚書歷侍中尚書右僕射謚貞憲
禎明元年	陳叔達	宗室義陽王仁威將軍入隋爲通守

至德元年 陳叔文 宗室晉熙王宣惠將軍遷揚州刺史

四年 陳叔韶 宗室岳山王智武將軍

陳叔慎 宗室岳陽王智武將軍出爲湘州刺史死義

隋 蔣州刺史

文帝開皇九年 韓洪 河東東垣人柱國改廉州歷金紫光祿大夫

郭衍 太原介休人改洪州總管歷光祿大夫

唐 蔣州刺史

高祖武德 盧祖尚 光州樂安人弋陽郡公遷壽州都督終瀛州刺史

昇州刺史

肅宗乾元元年 韋黃裳 遷浙西道節度使

二年	顔真卿 兗州曲阜人進士浙西節度使召爲刑部侍郎
	侯令儀 浙西節度使尋遁劉展遂陷州 金陵志載姜昌群係劉展僞授不書
昭宗 大順元年	張雄 泗州漣水人
景福二年	馮弘鐸 泗州漣水人尋附揚行密表爲淮南節度副使
天復二年	李神福 洛州人改淮南行軍司馬
三年	秦裴 改洪州制置使
吳 稱天祐十四年	徐溫 海州朐山人
	徐知誥 徐州人溫養子遷潤州後改尹
	金陵府尹
吳 睿皇楊溥順義元年	徐溫

乾貞元年	徐知詢 溫之子
	徐知諤 溫之子
太和三年	徐知誥
	江寧府尹
南唐烈祖徐誥昇元六年	李景遂 燕王加諸道兵馬元帥
宋	昇州知州事
太祖開寶八年	楊克讓 同州馮翊人兼水陸計度轉運使加兵部員外郎改知大名府
太宗太平興國二年	賈黃中 滄州南皮人進士禮部員外郎復任改駕部歷參知政事贈禮部尚書
五年	劉保勳 河南人判大理事召點檢三司開折司死於軍贈工部侍郎
	韓遂 樞密都承旨

雍熙元年　許驤　薊州人進士比部員外郎改江南轉運副使歷工部侍郎贈尚書

二年　源護　水部郎中改福州

端拱元年　雷有終　同州郃陽人以父廕戸部度支副使遷少府少監歷宣徽北院使檢校太保贈侍中

淳化元年　盧文正　侍御史改越州

二年　陳欽祚　潁州汝陰人權易使擢都監

五年　高象先　虞部郎中

郭異　兵部員外郎改越州

至道元年　李偉　西京作坊使改洪州

三年　宋覃　西京左藏庫使

眞宗咸平元年	張繼美	西京左藏庫使
二年	呂祐之	濟州鉅野人進士給事中歷集賢院學士刑部侍郎
四年	劉知信	邢州人外戚遷東京都巡檢使贈太尉天平軍節度
景德元年	馬亮	廬州合肥人進士直史館加工部郎中
四年	張詠	濮州鄄城人進士吏部侍郎始兼江南東路安撫使贈左僕射謚忠定[illegible]
		宋史曹克明傳謂詠知江寧非也
大祥中符五年	薛映	蜀人進士樞密直學士改揚州歷尚書左丞判集賢院贈右僕射謚文恭
八年	馬亮	工部侍郎再任改揚州
九年	丁謂	蘇州長洲人進士平江軍節度使改保信軍歷吏部尚書參知政事

江寧府知府事

天禧二年　薛　顔　河中萬泉人進士少府監遷右諫議大夫知河南終光祿卿

五年　馬　亮　兵部侍郎三任改廬州

仁宗

天聖元年　王欽若　臨江新喻人進士刑部尚書拜司空門下侍郎同平章事

王　隨　河南人進士光祿卿改給事中歷同平章事贈中書令謚文惠

三年　李　迪　趙郡人進士秘書監改兗州歷同平章事資政大學士贈司空侍中謚文定

五年　馬　亮　工部尚書四任以太子少保致仕贈右僕射謚忠肅

七年　張士遜　光化人刑部尚書定國軍節度使歷門下侍郎太傅贈太師中書令

八年　滕　涉　給事中

明道元年　李允元　光祿卿差充淮南江浙荊湖都大制置發運使

	李若谷	徐州豐縣人進士集賢院學士圖閣直學士知河南歷叅知政事太子太傅謚康靖
景祐元年	陳執中	洪州人父麔天章閣待制改揚州歷同平章事司徒贈太師謚恭
三年	張若谷	南劒沙縣人進士樞密直學士入知審官院歷尚書左丞
寶元元年	盛京	右諫議大夫
康定元年	郎簡	杭州臨安人進士判刑部改揚州歷右諫議大夫終刑部侍郎贈吏部
慶曆元年	葉清臣	蘇州長洲人進士龍圖學士入爲翰林院學士贈左諫議大夫
二年	劉沆	吉州永新人進士右諫議大夫改潭州歷同平章事集賢殿大學士
	楊告	漢州綿竹人同學究出身右諫議大夫改知壽州
五年	李宥	青州人進士諫議大夫右遷秘書監致仕改太子賓客

八年　張奎　臨濮人進士右諫議大夫入判吏部歷樞密直學士

皇祐元年　張方平　南京人茂才異等端明殿學士入判流內銓歷參知政事太子太保贈司空謚文定

三年　皇甫泌　右諫議大夫始帶提轄本路兵馬

四年　劉湜　徐州彭城人進士權天章閣待制除戶部郎中遷龍圖閣直學士

至和元年　向傳式　開封人龍圖閣直學士工部侍郎

嘉祐　包拯　盧州合肥人進士刑部郎中召知開封府歷樞密副使贈禮部尚書謚孝肅

二年　王琪　成都華陽人進士工部郎中龍圖閣待制累加樞密直學士

三年　梅摯　成都新繁人進士右諫議大夫改知河中

五年	王　琪　工部郎中知制誥再任
	馮　京　鄂州江夏人龍圖閣待制召爲給侍讀學士歷叅知政事贈司徒諡簡
七年	魏　琰　歙州婺源人父廥司農卿召判刑部進衛尉卿
	郭申錫　魏縣人進士直史舘進天章閣待制歷給事中
	王　贄　左諫議大夫
英宗治平元年	彭思永　廬陵人進天章閣待制召爲御史中丞終戶部侍郎
三年	呂　溱　揚州人進士右諫議大夫歷樞密直學士贈禮部侍郎
	龔鼎臣　鄆州須城人進士集賢殿修撰召判太常兼禮儀事歷正議大夫
四年	王安石　撫州臨川人進士知制誥召爲翰林學士歷同平章事

江寧府志　卷一十三　歷官表上　三五

孫思恭　鄧州人進士天章閣待制改鄧州

神宗熙寧元年　吳中復　興國永興人進士龍圖閣直學士歷知成德軍

二年　錢公輔　常州武進人進士兵部員外郎改揚州

四年　沈起　明州鄞縣人進士兵部員外郎入知吏部流內銓

五年　傅堯俞　鄆州須城人進士兵部員外郎改許州歷中書侍郎謚獻簡

六年　沈立　歷陽人進士右諫議大夫改宣州

七年　王安石　觀文殿大學士再任轉吏部尚書

八年　葉灼　祠部郎中直史館

九年　王安石　鎮南軍節度使同平章事三任改集禧觀使復拜左僕射觀文殿大學

司

十年	元積中	司封郎中改洪州
	呂嘉問	河南人以蔭司封員外郎改潤州歷龍圖閣學士
元豐元年	孫昌齡	都官員外郎
	元積中	太常少卿再任
三年	孫坦	刑部郎中天章閣待制
	劉庠	彭城人進士龍圖閣直學士改知滁州歷樞密直學士
五年	陳繹	開封人進士龍圖閣待制貶建昌軍奪職復大中大夫
六年	王益柔	河南人父蔭龍圖直學士秘書監改應天
七年	王安禮	撫州臨川人進士端明殿學士加資政殿學士贈右銀青光祿大夫
	楚建中	洛陽人進士天章閣待制改成德軍進正議大夫

哲宗元祐元年　蔡卞　興化仙遊人進士龍圖閣待制改揚州歷少保開府儀同三司追貶團練副使

四年　林希　福州人進士集賢殿修撰歷吏部尚書同知樞密院

熊本　饒州鄱陽人進士龍圖閣待制改洪州

六年　謝麟　建州甌寧人進士直龍圖閣改鳳翔

黃履　邵武人天章閣待制改應天歷資政殿學士尚書右丞

七年　陸佃　越州山陰人進士龍圖閣待制歷尚書左丞

八年　曾肇　南豐人進士吏部侍郎改瀛州歷翰林學士謚文昭

曾布　南豐人戶部尚書留爲學士承旨歷布僕射兼門下侍郎

紹聖二年　何正臣　臨江新淦人進士刑部侍郎

三年　呂惠卿　泉州晉江人進士歷觀文殿學士以禮泉觀使致仕

四年　陳軒　建州建陽人進士龍圖閣待制改潁昌歷兵部侍郎龍圖直學士

元符二年　呂升卿　直秘閣

三年　葉濤　處州龍泉人進士中書舍人歷給事中龍圖閣待制

陶節夫　饒州鄱陽人進士龍圖閣學士改知青州歷樞密直學士

徽宗建中靖國元年　鄧祐甫　直秘閣

崇寧元年　陳祐甫　直秘閣

二年　朱彥　宣德郎

王漢之　衢州常山人進士顯謨閣直學士

四年　徐勣　宣州南陵人進士徽猷閣待制歷顯謨閣學士贈資政殿學士

五年　蔣　靜　常州宜興人進士顯謨閣待制改睦州歷直學士贈通議大夫

姚　祐　浙江長興人進士顯謨閣待制復爲殿中監進直學士歷禮部尚書贈特進謚文僖

范　坦　河南人進士集賢殿修撰改洪州歷戸部侍郎

大觀元年　曾孝蘊　泉州晉江人集賢修撰歷龍圖閣學士贈通議大夫

二年　盧　航　龍圖閣待制

三年　沈　錫　真州揚子人由舅蔭徽猷閣待制改知海州歷通議大夫贈宣奉大夫

曾孝序　泉州晉江人父蔭集賢修撰歷延康殿學士

政和元年　薛　昂　杭州人進士尚書左丞改河南歷資政殿大學士

三年　吳　栻　直龍圖閣

四年	盧航 龍圖待制再任
六年	蔡嶷 開封人進士龍圖閣直學士召爲翰林院學士承旨後安置房州
八年	俞㮚 溧水人進士述古殿直學士
	張莊 應天府人進士進徽猷閣直學士贈宣奉大夫
宣和元年	王漢之 再任加龍圖閣直學士進延康殿
五年	盧襄 徽猷閣待制改湖州
欽宗 靖康元年	曾孝序 龍圖閣直學士再任改青州累進徽猷閣學士死節贈光祿大夫謚威愍
	宇文粹中 資政殿學士
二年	李彌遜 蘇州吳縣人進士江東運判領改淮南運副歷徽猷閣直學士
	翁彥國 寶文閣直學士兼江東安撫使馬步軍都總管充經制使

江寧府志　卷十五　六

趙明誠　祕閣修撰仍兼江南東路經制使改湖州

高宗建炎二年

黃潛善　邵武人進士觀文殿大學士尋黜居衡州

建康府知府事

三年

呂頤浩　齊州人同簽樞密院事安撫制置使拜尚書右僕射同平章事

連南夫　德安人顯謨閣直學士歷廣東轉運使

湯東野　工部侍郎改提舉應副六宮事

胡舜陟　徽州績溪人進士徽猷待制充沿江都置使終廣西經畧使

杜充　相州人進士尚書左僕射江淮宣撫使叛降金

陳邦光　顯謨直學士叛降金

四年

趙喙　徽猷閣待制兼兵馬鈐轄安撫使都總管改提舉洞霄宮

權邦彥 河間人登上舍第寶文閣直學士江淮等路制置發運使召爲兵部尚書參知政事

紹興元年 張縝 直寶文閣改饒州

葉夢得 蘇州吳縣人進士資政殿學士江東安撫大使兼六州宣撫改臨安

李光 端明殿學士安撫大使六州宣撫改湖州州歷參知政事諡莊簡

趙鼎 解州聞喜人進士端明殿學士改洪州歷同平章事兼樞密使贈太傅諡忠簡

三年 歐陽懋 徽猷閣待制

沈晦 錢塘人進士歷徽猷閣直學士

呂祉 建州建陽人上舍釋褐直龍圖閣主管江東安撫司事召爲中書門下檢

正文字歷兵部尚書

五年　葉宗諤　直秘閣兼主管安撫司進福建轉運使

七年　張澄　直龍圖閣兼主管安撫司改臨安

呂頤浩　少傅江東安撫制置大使行宮留守再任贈太師謚忠穆

八年　章誼　建州浦城人進士端明學士安撫大使兼留守

葉夢得　安撫制置大使兼留守再任加觀文殿學士改福州贈檢校少保

十三年　孟忠厚　洛州人外戚樞密使兼安撫制置大使改判紹興歷保寧節度使贈太保

十四年　張守　常州晉陵人進士資政殿學士兼安撫制置大使謚文靖

十五年　晁謙之　敷文閣直學士兼安撫使

十八年　鄭滋　顯謨閣學士

十九年	俞俟	敷文閣直學士改紹興
	王晌	直秘閣主管安撫司改宣州
二十二年	楊愿	進士資政殿學士
二十三年	王循友	右朝散郎兼主管安撫司
二十四年	宋貺	敷文閣直學士改平江
二十六年	張燾	饒州德興人進士寶文閣學士兼留守
	王綸	郡人進士資政殿大學士兼留守贈光祿大夫謚章敏
三十一年	張燾	資政殿學士再任遷同知樞密院參知政事謚忠定
	張浚	漢州綿竹人進士觀文殿大學士兼留守尋節制軍馬除少傅江淮宣撫歷同平章事兼樞密使贈太師謚忠獻

三十二年　陳俊卿　興化人進士江淮宣撫判官除禮部侍郎叅贊軍事

孝宗隆興元年　陳之茂　直徽猷閣兼管安撫司

二年　張孝祥　歷陽烏江人進士直學士院改敷文閣待制歷顯謨直學士

呂擢　直徽猷閣兼安撫

乾道元年　汪澈　新安人進士除樞密使贈金紫光祿大夫謚忠敏

王佐　直寶文閣改平江

陳俊卿　再任授吏部尚書歷左僕射同平章事加樞密使

二年　陳之茂　徽猷閣直學士再任

李穡　泗州臨淮人鄉舉直寶文閣轉運使兼安撫留守以寶文閣學士致仕

忠襄

	方滋	敷文閣待制
三年	史正志	集賢殿修撰兼沿江水軍制置使敷文閣待制改成都
六年	唐瑑	秘閣修撰改太府卿淮東總領
七年	洪遵	番陽人進士端明殿學士安撫使兼留守進資政學士謚文安
八年	梁克家	泉州晉江人進士觀文殿大學士歷右丞相贈少師謚文靖
淳熙元年	葉衡	婺州金華人進士敷文閣學士兼管內勸農營田使進尚書歷右丞相兼樞密使
	胡元質	龍圖閣待制
二年	劉珙	建州崇安人進士資政殿大學士安撫留守進觀文學士贈光祿大夫謚忠肅

五年　陳俊卿　再任兼安撫除少保進少
師致仕贈太保諡正獻
八年　范成大　吳郡吳縣人進士端明殿學士進資
政殿尋擢大學士贈少師諡文穆
十年　錢良臣　端明殿學士
進資政殿
章森　敷文閣待制安撫使
進顯謨閣改江陵
光宗紹熙二年　余端禮　衢州龍游人進士煥章閣學士召拜
吏部尚書歷右丞相少保贈太傅諡
忠肅
四年　鄭僑　顯謨閣待制
進龍圖學士
張杓　漢州綿竹人以父廕
徽猷閣待制改襄陽
五年　留正　泉州永春人進士少師觀文殿大學
士落職後復少師大學士贈太
忠[illegible]

	葛邲	丹陽人進士觀文殿大學士改隆興歷少保贈少師謚文定
	謝深甫	台州臨海人進士煥章閣待制史中丞兼侍讀歷右丞相少傅謚正
寧宗慶元元年	張杓	寶文閣學士再任進龍圖閣知隆興
三年	趙彥逾	宗室進士資政殿學士改四川安撫制置知成都
	張杓	端明殿學士三任
四年	錢象祖	臨安人華文閣學士改徽猷閣歷左丞相兼樞密使
六年	吳琚	開封人外戚少師兼留守鎮安軍節度使開府儀同三司
嘉泰二年	李林	徽猷閣學士安撫使改寶文閣
四年	丘崈	江陰軍人進士敷文閣學士兩淮宣撫改簽書樞密院事

開禧二年　葉　適　溫州永嘉人進士寶謨閣待制兼沿
江制置使進寶文閣兼江淮歷寶文
學士贈光祿
大夫謚忠定
楊　輔　遂寧人進士龍圖閣學士
兼江淮制置使謚莊惠
三年　徐　誼　溫州人進士寶謨閣待制兼
制置使改知隆興謚忠文
丘　崈　資政殿學士再任改江淮制置
大使遷同知樞密院事謚忠定
嘉定元年　何　澹　處州龍泉人進士觀文殿學士江淮
制置大使移湖北兼知江陵贈少[illegible]
三年　黃　度　紹興新昌人進士龍圖閣待制兼[illegible]
置使遷寶謨直學士進禮部尚書[illegible]
侍讀
六年　劉　榘　寶文閣待制進
權工部尚書
八年　李大東　端州四會人右文
殿修[illegible][illegible]安撫司

十年	李珏　寶謨閣學士制置安撫使進封開國伯
十二年	李大東　顯謨閣待制安撫使再任改寶文閣制置使封開國伯累加顯謨直學士
十五年	俞嶸　龍游人煥章閣待制制置安撫使歷工部尚書
	蔡幼學　溫州瑞安人進士龍圖待制改福州進權兵部尚書兼太子詹事
理宗寶慶元年	丘壽邁　直煥章閣江東轉運副使改司農少卿
三年	趙善湘　宗室寶章閣待制制置使累進兵部尚書歷觀文殿學士贈少師
紹定六年	李壽朋　試大理卿安撫兼制置使
	吳潛　溧水人進士太府卿兼權制置安撫留守除秘撰都丞歷右丞相贈少師
端平元年	陳韡　福建侯官人進士歷煥章學士安撫兼留守加制置大使知樞密院贈少師謚忠肅

曾從龍泉州晉江人進士資政殿大學士制置兼留守歷知樞密院贈少師

嘉熙二年　別之傑郢州人進士寶謨直學士制置使安撫使加兵部尚書歷參知政事贈少師

淳祐四年　杜杲邵武人父蔭華文閣學士制置使留守進敷文閣學士遷刑部尚書贈開府

董槐濠州定遠人進士集英殿修撰制置安撫留守改知靜江歷右丞相兼樞密使贈太子少師謚文靖

五年　趙以夫宗室寶章閣待制制置安撫兼屯田使

七年　趙葵長沙人樞密使兼參知政事留守安撫使進右丞相兼樞密使

九年　吳淵溧水人進士端明殿大學士制置安撫使累封金陵公陞資政殿

寶祐二年　王埜　金華人進士制置安撫二郡屯田行宮留守歷簽書樞密院事

丘岳　寶文閣直學士節制二郡屯田使

三年　馬光祖　婺州金華人進士寶章閣直學士制置安撫兼留守節制屯田累加端明殿學士改知江陵

六年　趙與𥲤　宗室進士觀文殿學士制置安撫馬步軍總官兼留守節制屯田改兼知揚州

開慶元年　馬光祖　資政殿學士制置大使再任進天學士知臨安

姚希得　潼川人進士華文閣直學士制置安撫留守累加刑部尚書歷參知政事贈少保

趙葵　沿江江東宣撫使再任兼留守尋授江東西宣撫歷少師贈太傅謚忠靖

五年	馬光祖 三任拜參知政事進知樞密院以金紫光祿大夫致仕謚莊敏
度宗 咸淳五年	吳革 寶文閣直學士制置安撫留守
七年	黃萬石 沿江制置使改江西叛降元
九年	趙溍 長沙入制置使兼留守尋遁
	建康路總管兼府尹
端宗 景炎二年	徐旺榮 元至元十四年驃騎上將軍
元	
世祖 至元十八年	李 一云名士元中順大夫
二十三年	李仲信
二十五年	阿忽蘭不花 嘉議大夫

二十九年	札剌兒百家奴 父蔭中奉大夫遷鎮江路
三十年	宋廷秀
成宗元貞二年	廉希哲 中議大夫
大德四年	獨吉禮 少中大夫
七年	陳元凱 蜀人
九年	侯珪
十年	岳天禎 大名冠氏人父蔭懷遠大將軍元史附天禎於其父存傳一統志遂謂存爲建康誤矣
仁宗皇慶元年	王瑛 正議大夫
	劉智

	延禧六年	答子良
英宗	至治二年	任居敬
泰定帝	泰定二年	必實溫沙班 大中大夫
	二年	那懷 中順大夫
		集慶路總管
文宗	大曆二年	咬住 奉議大夫
	至順元年	郭彔兒伯臺
順帝	至元四年	完者禿 通議大夫
	至正元年	張塔海帖木兒 中議大夫

江寧府志卷之十五終

江寧府志卷之十六

歷官表中

明

	應天府知府	同知
高帝國初	王子謙	蘭以權洪武二年七月陞本府知府
	楊元杲直隸滁州薦舉	
洪武三年	夏仲信	
	應天府府尹	府丞
	蘭以權知府改	
四年	鄭沂	
五年	張遇林	高舉直隸鳳陽

八年	尚寶	
九年	劉仁 湖廣武昌初爲兵部尚書尋改左通政	
十年	李拳 山西徐溝	梁伯興 江西永豐
	徐鐸 陞戶部尚書	
十二年	曹廷訓 河南靈寶薦舉	
十三年	班用吉 河間薦舉歷刑部尚書	
	曾朝佐	
十四年	笵徵	
十八年	高守禮 河南洛陽	

	孫鳳年無考	馮昭克
二十年	尹寶	康惟善山西河津
	李德山西徐溝孝廉	
二十三年	林衡福建莆田	
二十四年	高守禮河南洛陽	王公亮治中陞
二十五年	宋翊陝西膚施	
建文帝 建文元年	向琏江西進賢進士通政使司	
四年	張遇林	
文帝 永樂元年		張執中山西盧石貢贈府尹
二年	向琏再任歷副都御史兼詹事	

姚 恕 江西廬陵貢

五年 夏思忠 直隸高郵儒士

八年 汪 翔 直隸徽州　　張 元 山西壺石

十年 紀 正

十一年 于 潛 河南鄢陵

十五年 陳 福 直隸宿州貢

十六年 李 秀 湖廣

十八年 顧 佐 河南太康進士歷左都御史贈少保

二十年 薛 均 湖廣蘄水薦舉

二十一年	向琟	左洋 直隸浮縣貢
昭帝洪熙元年	紀正 再任	
章帝宣德元年		王鐸
四年	黃茂 湖廣桂東貢	
	張璘 湖廣黃岡進士	
七年	史怡	趙公器 直隸上海
十年	鄭埜 湖廣宜章進士歷兵部尚書贈少保	
睿帝正統元年		陳俊 浙江東陽進士
三年	陳俊 府丞陞	

五年		檀凱 直隸建德進士
六年	李敏 直隸新安舉人歷戶部尚書	
十年		蔡錫 浙江鄞縣舉人
景帝景泰元年	馬諒 直隸和州進士歷戶部侍郎	陳宜 江西泰和進上歷兵部左侍郎
三年	王弼 江西鄱陽進士	劉洙 江西貴溪進士
七年	郭士道 江西萬安	
純帝成化元年		冉哲 四川內江進士
四年	畢亨 河南河南衛進士陞副都	

	御史	
九年	彭信 浙江仁和進士	白昂 直隸武進進士歷刑部尚書太保
十年	曾崇志 浙江天台進士陞副都御史	
十三年		談倫 直隸上海進士
十九年		張達 江西泰和進士
		楊守隨 浙江鄞縣進士
二十二年	于冕 浙江錢塘父肅愍謙廕錦衣乞改文職	
敬帝弘治元年	楊守隨 府丞陞歷工部尚書	

二年		冀綺　直隸寶應進士
三年	秦崇　山東單縣進士	
五年	樊瑩　浙江常山進士歷南刑部尚書贈太子少保	
八年	冀綺　府丞陞	高敞　直隸崑山進士
十年	高敞　府丞陞	
十一年	韓重　山西絳縣進士	呂獻　浙江新昌進士歷兵部侍郎
十四年	吳雄　浙江仁和進士	
十五年		李堂　浙江鄞縣進士

毅帝

正德元年	陸珩　浙江歸安進士	

二年	沈銳浙江仁和進士	
三年	黃寶湖廣長沙進士陞副都御史	
四年	常麟浙江嘉興進士陞南禮部侍郎	王彥奇四川雲陽進士僉都御史改
	周宏浙江德清	楊旦福建建寧進士歷吏部尚書
五年	丁鳳直隸蠡縣進士歷兵部侍郎	陳玉山東沂州進士歷都御史
六年	孫春河南尉氏進士	尹梅直隸靈壽進士
七年	張淳直隸合肥進士歷副都御史	

史

八年　歐陽旦　江西安福進士

九年　白圻　直隸武進進士陞副都御史　趙斌　陝西平涼衛進士

十年　黃瓚　直隸儀真進士歷南兵部侍郎

十一年　王宸　神武右衛進士

十二年　龔弘　直隸嘉定進士陞副都御史　許庭光　河南河陰進士陞僉都御史

十四年　胡宗道　陝西扶風進士　寇天敘　山西榆次進士歷副都御史

十六年 王震 直隸邢臺進士

肅帝嘉靖元年 唐鳳儀 湖廣蘄州人陞僉都御史

二年 聞淵 浙江鄞縣進士歷吏部尚書贈少保

三年 王爌 浙江黃巖進士歷南院右都御史

七年 陳錫 廣東南海進士 楊璨 直隸華亭進士

八年 陳艮器 浙江仁和進士 柴奇 直隸崑山進士

陳冏 山東登州進士

十年 江曉 浙江仁和進士

十一年　邊憲　直隸任丘進士

十三年　柴奇　府丞陞　郭登庸　山西山陰進士陞僉都御史

江曉　再任歷工部左侍郎贈尚書

十五年　吳山　直隸吳江進士歷刑部尚書

十六年　孫懋　浙江慈谿進士贈副都御史　楊麒　江西上饒進士陞光祿卿

十九年　戴金　湖廣漢陽進士歷兵部尚書　朱隆禧　直隸崑山進士

陳鄉　四川宜賓進士　李舜臣　山東樂安進士

二十年	袁檟 山東德州進士	
二十一年	戴儒 江西德興進士陞副都御史	
二十二年	吳瀚 直隸吳縣進士	王學益 江西安福進士陞僉都御史
二十三年	洪珠 福建莆田進士	李鏞 山西曲沃進士
二十四年	歐陽塾 江西泰和進士	
二十五年	蔣應奎 直隸江都進士歷兵部侍郎	
二十七年		何鰲 浙江山陰進士歷刑部尚書
二十九年	呂顓 陝西寧州進士	胡叔廉 江西新淦進士

三十年	鄭　漳　福建懷安進士陞刑部侍郎	
三十一年	歐陽塾　再任陞南京工部侍郎	李　珊　湖廣衡州衛進士
三十二年	扈永通　山東曹縣進士改順天府丞	
三十三年	李　珊　陞	凌汝志　直隸常熟進士
三十四年	汪宗元　湖廣崇陽進士歷通政使	喻　時　河南光州進士歷南戶部侍郎
三十五年	葉　鏜　江西上饒進士陞刑部侍郎	
三十八年	鮑道明　直隸歙縣進士歷南戶部尚書	徐　綱　湖廣興國進士歷工部左侍郎

三十九年	呂光洵 浙江新昌進士歷兵部尚書	
四十年	呂時中 直隸清豐進士歷戸部侍郎	孫允中 山西太原右衛進士
	孟進 河南祥符進士	
四十二年	魏尚純 河南鈞州進士歷南工部尚書	羅嘉賓 四川宜賓進士
	唐寬 山西平定進士	
四十二年	劉自强 河南扶溝進士歷刑部尚書	

四十四年	劉堃之四川內江進士	
	王鶴陝西長安進士	
四十五年	李一瀚浙江僊居進士陞副都御史	徐應浙江蘭谿進士陞南太僕卿
莊帝隆慶元年	譚大初廣東始興進士歷戶部尚書	
	畢鏘直隸石埭進士任南戶部尚書	
二年		史朝賓福建晉江進士陞鴻臚卿
三年		朱繪山西平定進士

四年	周俶 四川成都進士	丘有嵒 福建晉江進士
五年	鄔璉 江西新昌進士陞副都御史	
六年	杜拯 江西豐城進士歷工部左侍郎	楊標 江西清江進上
	陶承學 浙江會稽進士任刑部左侍郎	
顯帝萬曆二年	楊成 直隸長洲進士任工部侍郎	
	汪宗伊 湖廣崇陽進士任南戶部	

年		
	侍郎	
三年	吳文華福建連江縣人由進士河南左布政使未任尋陞右副都御史巡撫廣西	雷稽古山東恩縣進士
四年	程嗣功直隸歙縣進士任南戶部侍郎	陸樹德直隸華亭進士
六年		
	陳于陛直隸曲周縣進士	辛自脩河南襄城縣進士

七年	陰武卿四川內江縣進士	曹大埜四川巴縣人由進士
八年	方良曙直隸徽州府歙縣人由進士	李　巳河南磁州人由進士
八年	劉志伊浙江寧波府慈谿縣人由進士任陞大理寺卿	董堯封河南洛陽縣人由進士
九年	劉　庠湖廣鍾祥縣人由進士任陞貴州巡撫副都御史	
十年	游季勳江西豐城縣人由進士	
十一年	吳　善福建龍溪縣人由進士任陞廣西巡撫	杜友蘭四川保寧府閬中縣籍南部縣人由進士

十二年	顧章志 直隸太倉州籍崑山縣人由進士任陞南兵部侍郎	
十三年	袁三接 廣東香山縣人由進士任	
十四年	孫丕揚 陝西富平縣人由進士任	張檟 江西新城縣人由進士任
	石應岳 福建龍岩縣人由進士任	
十五年		許孚遠 浙江德清縣人由進士任
十六年	張檟 府丞陞	周希旦 直隸旌德縣人由進士任
十七年	陳文燭 湖廣沔陽州人由進士任	王執禮 直隸崑山縣人由進士任
十八年	邵仲祿 四川奉節縣人由進士任	郭惟賢 福建晉江縣人由進士任
十九年	楊廷相 福建晉江縣人由進士任	苗朝陽 山西河曲縣人由進士任

二十年	程拱宸福建莆田縣人由進士任	
二十一年		楊時喬江西上饒縣人由進士任
		沈桐浙江歸安縣籍烏程縣人由進士任
二十二年	張孫繩廣西桂林縣人由進士任	
二十三年		衞承芳四川達州人由進士任
二十五年		支可大直隸崑山縣人由進士任
二十六年	熊惟學江西南昌縣人由進士任	張朝瑞直隸海州人由進士任
二十七年		徐申直隸長洲縣人由進士任
三十一年	趙欽陽山西解州人由進士任	

三十三年　徐申　由府丞陞

三十四年

劉學曾　河南光山縣人由進士任

衛一鳳　山西陽城縣人由進士任

三十七年　王一乾　江西太和縣人由進士任

三十九年　陸長庚　浙江平湖縣人由進士任

四十年　實心任事設總里巡守免民間諸累

四十一年　汪道亨　直隸懷寧縣人由進士任

王一言　江西南城縣人由進士任

四十二年　黃承元　浙江秀水縣人由進士任

四十三年

嚴一鵬　直隸吳縣籍無錫人由進士任

四十四年　姚思仁　浙江秀水縣人由進士任

四十七年　鄭璧　四川內江人由進士任

四十八年　王三才　浙江蕭山縣人由進士任

貞帝

泰昌元年　徐必達　浙江嘉興縣人由進士任

哲帝

天啓元年　鄭璧　由府丞陞　黃運泰　河南永城縣人由進士任

二年　桑學夔　山東濮州人由進士任

三年　畢懋良　直隸歙縣人由進士任

四年　魏說　湖廣蒲圻縣人由進士任

五年　談自省　直隸丹徒縣人由進士任　陳一元　福建侯官縣人由進士任守正不阿以忤魏璫去官風采重于一時

六年　李逢節　直隸吳江縣人由進士任

陞南工部侍郎
祝以豳 浙江海康縣人由進士任

祝以豳 由府丞陞

七年
周維京 福建晉江縣人由進士任

端帝

崇禎元年
黃景華 浙江鄞縣人由進士任
周爾發 福建同安縣人由進士任

二年
詹士龍 江西豐城縣人由進士任
清正寬仁獎拔多士甚著政聲

三年
居官清慎不輕一詞不濫
莊欽鄰 福建晉江縣人由進士任

五年
差人
果於任事培植學校士林德之

八年
劉之鳳 河南中牟縣人由進士任
李覺斯 廣東東莞縣人由進士任

九年
王心一 直隸長洲縣人由進士任

十年
王心一 由府丞陞

十一年	劉餘佑 北直宛平縣人由進士任	徐石麒 直隸青浦縣人由進士任
十二年	戈允禮	錢士貴 直隸青浦縣人由進士任
十三年	楊芳盛 雲南鶴慶府人由進士任	張瑋 直隸武進縣人由進士任
十四年		
十五年	祁逢吉 直隸金壇縣人由進士任	金蘭 浙江紹興府人由進士任
十六年	劉士禎 江西萬安縣人由進士任	郭維京 江西進士
十七年	王廷梅 直隸松江府人由進士任	鄒之麟 直隸武進縣人由進士任
		瞿式耜 直隸常熟縣人由進士任
		王閆振 河南進士

江寧府志　卷十六　圭

明	治中	通判	推官
洪武	王公亮 歴府丞	高英 浙江嘉興貢	劉艮 直隷高郵人材
	林遂		王安
永樂	劉誠 湖廣襄陽貢	張倫 直隷滁州貢	馬俊 湖廣襄陽貢
		黄懋 直隷元氏進士	金玉 湖廣沅州貢
宣德	田翥	李通	王麟
	檀凱 歴府丞	黄祐 福建邵武貢	
	高應 福建福州人		
正統	周澄 浙江秀水舉人	朱昂 直隷無爲舉人	姜原性
		董貫 山東濟寧舉人	

景泰	沈孟範 浙江僊居貢	黎亨	張志
天順	劉因 直隸鹽山貢	蘭馨 四川簡縣貢	潘勉 雲南太和舉人
成化	葉泰 湖廣江陵貢	林春 浙江寧海舉人	彭隆 廣西宣化舉人
	張春 直隸真定進士	許儼 浙江淳安舉人	李繡 直隸新樂貢
	米文 山西平定舉人	宋珩 陝西安塞舉人	王淵 浙江山陰進士
	邊寧 山東歷城舉人	王章 直隸保定貢	李文 雲南金齒司舉人
	王淵 推官陞	張順 陝西咸寧舉人	歐陽鉀 廣西高平縣人
		劉鳳 直隸趙州貢	
弘治	彭鎬	蔣苓 浙江長興舉人	尤伸 順天大興舉人
	張雄 山東范縣進士	范昌齡 浙江天台舉人	堵昇 浙江山陰進士

	劉奎　順天宛平舉人	程安　直隸定邊衛舉人	何椲　直隸長興舉人
	邢昊　直隸華亭舉人	戴昊　廣東南海舉人	
	王恩　湖廣衡陽官生	張逵　山西蒲州舉人	
		祝允明　直隸長洲舉人	
正德	謝驥　江西新建官生	鄭濬　直隸平山進士	徐海　浙江常山進士
	楊廷用　四川宜賓舉人	周京　廣東新會舉人	王昂　四川廣安進士
		吾翕　浙江開化進士	趙儀　雲南太和舉人陞知州
		張海　福建閩縣舉人	
		秦偉　直隸無錫舉人	
		童蒙正　四川銅梁舉人	

夏元 濟川衛舉人陞府同知

嘉靖

陳嘉謨 福建長樂進士
呂言 浙江秀水官生
陳廷璉 廣東增城縣人

王誥 順天保定舉人
張弁 山西代州進士
郭垂 河南武安舉人

章諍 直隸太湖舉人
于淳 河南濬陽舉人
胡洲 河南舉人

王卿 直隸真定舉人
楊自勤 河南新鄭舉人
陸應寅 直隸華亭舉人

葉遇春 直隸太倉進士 張珊 江西吉水舉人
錢允 直隸當塗舉人

陞郎中
劉逸
羅節卿 廣東南海舉人

閻俸 陝西隴州舉人
戴高 福建舉人陞知州
程學顏 湖廣[illegible]感[illegible]人陞[illegible]僕[illegible]丞

龐嵩 通判陞歷知府
龐嵩 廣東南海舉人

丘道明　福建上杭貢監　長史

查秉直　浙江海寧舉人

余鋐　江西鉛山舉人

李渭　貴州思南舉人歷左參政

包湘　浙江寧海貢

桂載　江西安仁官生

張峰　江西泰和舉人

汪宗之　江西貴溪舉人

周弘毅　湖廣麻城舉人

馮秉彝　浙江慈谿舉人

閔宜劭　浙江烏程舉人

劉愆　江西萬安舉人歷員外

韓珊　湖廣[illegible][illegible]舉人[illegible][illegible]判

張夢斗　福建懷安舉人陞王[illegible]

李思悅　廣東海陽進士　歷郎中

隆慶

孫克弘　直隸華亭官生　陞知府

羅鳳翔　山西蒲州舉人　歷郎中

陳思忠　福建莆田進士　陞郎中

王簡　直隸趙州官生

蔡茂春　順天三河進士　歷郎中

文階　四川南充進士

包大爟　浙江鄞縣進士　陞郎中

陳治安　貴州宣慰司進士　陞主事

朱大年　直隸華亭舉人　陞知州

潘子雨　德府群牧所舉人　歷知府

趙鉞　福建長汀舉人　陞主事

周恪　直隸太平舉人　調[illegible]德

		譚文顯 直隸太平舉人陞知州	
萬曆	馬棨 直隸通州官生	尹彥 浙江僊居舉人	詹世用 江西弋陽進士陞大理評事
	江埏 浙江仁和官生歷知府	王子順 河南振武衛舉人陞府同知	
			羅繡藻 貴州籍江西廬陵舉人陞南京都察院經歷
	黃喬棟 福建晉江官生陞知府	李文餘 福建平和進士	
		秦致恭 廣西靈川進士陞南太僕丞	
	胡梗 直隸滁州官生		
		馮行可 直隸華亭舉人	張程 江西安福進士陞工部主事
		浦朝柱 山東登州官生	

張煦 直隸華亭縣人由官生
莊希益 廣東潮州府人由舉人
蕭元岡 江西泰和舉人陞南京刑部主事

張邦伊 浙江鄞縣人由官生
冼堯相 廣東廣州府人由官生
甘一鳳 江西南昌舉人陞南京刑部主事

張伯謙 江西進賢縣人由官生
易道源 廣東廣州府人由官生

王峯 山西代州人由官生
曾卞 直隸江都縣人由官生
趙日崇 福建晉江舉人陞南京刑部主事

殷三禮 山東東阿縣人由官生
孟醇 山東青城縣人由舉人

謝城 湖廣巴陵縣人由官
梅一九 四川墊江舉人

生

陳忠　直隸歙縣人由官生

郭原賓　江西萬安縣人由官生

馬永亨　陝西韓城縣人由舉人

夏尚金　湖廣常德衛籍山東滕縣人由舉人

錢秉元　直隸蘇州府吳

錢應斗　浙江餘姚縣人由舉人

高光　四川瀘州人由舉人

彭憲范　福建莆田縣人由舉人

焦蕃　陝西盩厔縣人由舉人

張必振　山東諸城縣人由舉人

邵兼　直隸休寧縣人由舉

何躍龍　貴州籍湖廣大冶舉人

介夢龍　山西解州舉人陞南京戶部主事

林之盛　浙江錢塘舉人

周于蕃　湖廣蒲圻舉人

縣人由官生　人

鄭心材　浙江秀水縣籍海鹽縣人由官生

滕萬里　福建甌寧縣人由官生

劉衣錦　山東觀城舉人陞南京戶部主事

李棠　福建平和縣人由舉人

袁世振　湖廣蘄州人由進士

滕萬里　復任

雷叔文　湖廣江陵舉人陞雲南景東府同知

許在廷　河南固始縣人由舉人

萬獻策　陝西咸寧縣人由舉人

李棠　福建同安縣籍漳州人由舉人

陳如錦　河南永城縣人由舉人

杜冠時 陝西安華縣人 由恩選貢

陳鍾衡 福建莆田縣人 由官生

呂恒 山東德州人 由舉人

汪起英 直隷休寧縣人 由舉人

天啓

陳豸 廣東順德縣人由舉人

沈景夔 浙江餘姚縣人 由官生

劉鎧 江西南昌舉人

劉大川 直隷易州舉人 陞南京戶部主事

陳夢璿 福建晉江縣人 由官生

王道元 浙江鄞縣人由官生

申用嘉 浙江烏程縣人 由舉人

房楠 山東益都縣人由進士

劉琯 貴州衛舉人 陞南京戶部廣東司主事

崇禎

林而廷	福建晉江縣人由舉人
方尚祖	福建莆田縣人由舉人
張元弼	江西新昌縣人由舉人
鄒得魯	湖廣公安縣人由舉人
晏善成	湖廣承天府人由舉人
成克延	直隸大名縣人由官生
董祖權	直隸松江府華亭縣籍上海縣人由官生
侯昌胤	順天宛平縣人由官生
錢尚賓	直隸武進縣人由官生
陳聯璧	湖廣人由官生
陳廷詔	湖廣松滋舉人陞南京刑部陝西司主事
錢可久	湖廣應城籍江西金谿舉人陞刑部浙江司主事
吳起龍	直隸丹徒進士陞南京戶部[illegible]州司主事

王命德 貴州人由舉人

李弘禎 陝西西安府三原縣人由舉人

趙其昌 順天永清縣人由舉人

蘇一楨 河南祥符縣人由官生

何鍾英 廣東新會縣人由官生

徐樹藩 直隸常州府人由官生

沈琁卿 浙江歸安縣人由官生

沈循 浙江仁和縣人由官生

余若南 河南衛輝府籍陞南京刑部山西司主事

寇遵典 陝西西安舉人陞戶部貴州司主事

徐承烈 浙江鄞縣舉人陞刑部貴州司主事

于重慶 直隸金壇進士

陞工部營繕司主事

彭期生　浙江海鹽進士陞南京兵部職方司員外郎

胡奇偉　江西進賢進士陞南京兵部職方司主事

董梅鼎　廣[illegible]由[illegible]

大清順治二年改應天府爲江寧府改府尹爲知府改治中爲同知

	知府	同知			通判	推官
世祖章皇帝						
順治二年	李正茂直隸宛平縣人由拔貢	江防范承祖遼東瀋陽衛人由貢生	糧捕張仲陝西井泉縣人由貢生			王賓河南蔡縣人由進士
三年				鹽捕劉旎遼東瀋陽衛人由貢生		楊君正山東東昌府人由進士
四年	林天擎遼東蓋州衛人由拔貢	船政李策鼎河南歸德府人由貢生此缺七年奉裁	糧捕張著直隸順天府人由貢生			楊毓蘭河南新鄉縣人由進士
五年						
六年	張錦山西翼城縣人			鹽捕紀汝彝直隸		陳適度山西蒲州

	由舉人	馬政周廷鳳四川	霸州人由貢生	猗氏縣人由進士
七年		保慶府人由舉	西捕尚衍山西蒲州	李上林河南商丘
八年		人	人由舉人	縣人由進士
九年	邊維隆直隸任丘	馬政張性山東掖縣	南捕王櫂之山東	錢肅凱浙江鄞縣
	縣人由舉人	人由貢生此缺	齊東縣人由貢	人由進士
十年	李持四川江津縣人	七年奉裁	生	董國棟福建莆田
	古道自重望隆一時	管糧傅覲光山東	水利張邦秤遼東	縣人由進士
十一年	孟元河南祥符縣人	曹縣人由生員	遼陽衛人由貢	田薰陝西西安府人
	由恩貢	江防趙廷臣遼東	生	由進士
十二年	何中舉遼東瀋陽	鐵嶺衛人由恩	管糧趙元明陝西	閻調鼎山西平陽

	衛人由貢生	貢	城固縣人由官	府人由進士
十三年		督鑄張武烈山東	監	謝銓福建建寧府人
十四年	李雋直隸永年縣人	平度州人由貢	管糧尹際寅湖廣	由進士
	由舉人	生	漢陽府人由貢	康熙六年奉
十五年		督鑄郭鳴鳳直隸	生	裁
十六年	高培元直隸肅寧	任丘縣人武進	督捕唐虞泰遼東	
	縣人由生員	士	廣寧衛人由貢	
十七年	徐恭遼東鐵嶺衛人	督鑄唐萬齡淮安	生	
	由廕生	府人由貢生	水利顧言宣鎮萬全	
十八年	張羽明遼東寧遠	督鑄溫啓知陝西	衛人由貢生	

今皇上

康熙元年

人由舉人

三原縣人由舉人

鹽捕劉晃河南祥符縣人由官監

二年

陳開虞陝西西安府人由生員

督鑄崔鹿鳴遼東廣寧衛人由恩貢此缺十三年奉裁

巡捕閻不愚河南柘城縣人由貢生

查鹽高鳴臣河南原武縣人由貢生

管糧張雲路直隸冀州人由舉人

查鹽翁人龍湖廣襄陽縣人由貢

管糧馮瑞直隸清豐縣人由舉人

江防 張維賢 山東嘉祥縣人由貢生

總捕 秦鏡 山東丘縣人由貢生

生

江防 陳朱垣 山東濟寧縣人由貢生

總捕 李日章 山東清平縣人由貢生

理事 王永茂 遼東遼陽人由貢生

查鹽 趙特可 河南睢州人由貢生

江防 王正化 陝西漢中府人由拔

順治十五年奉總督部院郎

貢

題裁通判惟留南北捕二員

管糧任憲伊陝西清澗縣人由貢生

南捕傅之義順天府大興縣人由官生

管糧陳邦彥遼東瀋陽衛人由貢生

北捕王若時直隸保定府人由貢生

理事祝煇江西上饒縣人由貢生

南捕廖巺秀廣東廣州府龍門縣

理事劉禋陝西中部

縣人由進士	人由貢生
江防李玑直隸保定府人由官生	北捕蓋載直隸真定府人由貢生
管糧陶贊化山東登州府人由貢生	北捕胡世美順天府宛平縣人由貢生
理事梁浩然山東濟南府人由拔貢	南捕呂元良福建晋江人
理事陳寅順天府大	

典縣人由生員

管糧　姚士升　湖廣江陵縣人由進士

理事　馮蕚舒　浙江寧波府人由進士

明	經歷	知事	照磨	檢校
洪武	趙才昌 湖廣武岡人材			
永樂	劉光	馬存義 直隸滁州薦舉	黃仲才 四川新津貢	
宣德	林景禮	郭良 山西大同		
正統	李譚 福建建陽貢			
景泰	秦朝舉	鄭彧	鄧魯	張劍
天順			楊森	
成化	徐人府 陝西安化	賈徵 山西大同貢		

江寧府志 卷之十 歷官表中

貢

邢曙河南臨潁舉人

楊淳貴州永寧衛舉人

弘治

杜伏鏞四川成都監生

郭珏山東鉅野監生

黃蘭四川仁壽監生

錢楫

俞椿浙江鄞縣監生

王仲元山東蒲臺監生

李蕙直隸宣城監生

朱重光江西浮梁監生

沈謹直隸宜興監生

史伯敏 浙江餘姚官生

正德

王文炳 直隸武進官生陞知州

曹洋 錦衣衛儒士

嘉靖

李世慶 直隸藁城監生

符節 遼東監生

畢世臣 山西應州監生

杜松 直隸昌黎監

戴冠 浙江昌化監生

李汝翼 河南上蔡官生

丁朝宗 山西萬泉監生

戴景賢 江西金谿監生

鄧鷃 江西崇義監生

吳輅 直隸無錫監生

王偉 山西太原監生

張大倫 陝西米脂

蘇貫　福建建安監生
秦環　山西忻州監生
康紹光　山西興縣監生
監生

張鶴　山西安邑監生
王汝楫　直隸滑縣貢生
趙銘　山東儀衛司監
張緯　山東監生

成就　直隸大名監生
陸自成　直隸吳縣監生
何忠　直隸青陽監生
李東　河南洛陽監生

楊守何　直隸無錫監生
霍柱　廣西藤縣監生
白豸　直隸監生

許中　四川越巂監生
馮樂　浙江烏程監生

隆慶

陳漢　山西馬邑貢
于棨　山東禹城貢陞
任鴻儒　山西汾西
朱家相　湖廣蕲

縣丞 監生 儒士

吳儲 直隸宜興儒士

萬曆
郭與志 直隸元城貢陞推官
盧定 河南湯陰監生
陳嘉猷 山東昌邑監生
李時雨 江西龍泉儒士陞照磨

鄒鉉 直隸吳江知印
段乾 直隸監生

劉存業 福建同安監生
冉夢龍 河南中牟縣人選貢
仲春 浙江秀水儒士

王延祚 浙江蕭山監生

天啓

順治
王師顛 山西翼城縣人由生
周士元 浙江山陰縣人由貢
趙正龍 浙江諸暨縣人由儒
章震 浙江紹興府人由吏員

員

沈啓龍　浙江紹興府人由吏員

梁淑乾　福建莆田縣人由吏員

康熙

龔龍見　福建晋江縣人由進士

監

士

沈懋宗　浙江會稽縣人由儒士

王贊元　浙江紹興府人由吏員

張迅翮　順天府宛平縣人由吏員

王允懋　浙江紹興府人由吏員

蔡士驄　順天府大興縣人由儒士

明 儒學教授

洪武	黃瑛句容薦舉	吕熙湖廣黃岡歷吏部尚書
		王汝玉直隸長洲歷博士歷左贊善贈太子賓客謚文靖
宣德	李存禮	劉嵩
		趙達
		達定
		王貫
正統		謝熙浙江臨海貢
景泰		劉錦江西泰和貢

成化　黃　賜　福建閩縣舉人歷陞府同知

弘治　李　濬　福建莆田舉人陞推官

正德　熊子英　陝西舉人陞知縣

王　道　山東武城進士庶吉士改歷史

常　金　浙江嘉興貢

趙　達　四川貢

張　中　江西貢

張　慶　陝西舉人

秦　茂　四川貢

洪　敏　福建泉州舉人

周德慧　江西舉人

党　湍　浙江台州貢

陳　瑞　江西上高貢

部左侍郎

羊　覃　浙江處州

張　淮　河南舉人

廖尚德　江西舉人

張雲龍　福建泉州舉人陞通判

鄒　鋐　江西舉人歷陞府同知

毛　潤　湖廣荆州貢陞教授

朱　善　浙江永康貢

陳　義　福建貢

戴　章　福建漳州貢陞教諭

戴　恩　江西貢

何　奎　浙江嚴州貢

嘉靖

范　震　浙江永康舉人陞國子學正

李文會　湖廣承天進士歷郎中

劉　紀　廣西桂林舉人歷國子監丞

鄭汝舟　福建莆田舉人歷僉事

尹　鏜　浙江湖州貢

邢　鉞　直隸大名貢陞教諭

陳　詔　浙江溫州貢

黃　森　福建貢

莊　科　福建泉州舉人

陳　瑞　江西貢

李　樹　廣東番禺貢陞教諭

李　山　浙江嘉興貢陞教諭

劉　環　湖廣貢

錢　山　湖廣醴陵貢

賀　鈞　江西廬陵舉人

黃獻可　福建莆田進士

胡　儒　廣西儀衛司舉人陞知縣

朱　瓚　江西新淦舉人陞知縣

謝應魁　廣東番禺舉人陞學錄

陳嘉靖　浙江金華

張　麟　浙江仁和貢陞教諭

凌雲鳳　浙江新城貢

孫　珮　山東掖縣貢陞州學正

劉　澄　廣西北流貢陞教諭

夏　袞　江西德興貢陞州學正

鄧德昌　廣東順德貢

陳九疇　廣東番禺貢陞教諭

曾德牧　福建莆田貢陞教諭

許　金　浙江天台貢

陳九成 廣東高安舉人陞助教

彭 軨 浙江嘉興進士歷員外

章世仁 直隸青陽進士歷參議

林文甲 直隸常州舉人

王 銑 直隸吳江舉人陞通判

李 弼 廣西梧州貢

余士驥 江西星子貢

梁宗艮 山東堂邑貢

應 橋 浙江遂昌貢

龔 崇 江西上饒貢

孫肯堂 浙江海寧貢

章 春 浙江青田貢

陳思忠 福建貢

祝爾齊 浙江龍游貢

王 境 浙江黃巖貢

董汝豫河南洛陽舉人

楊汝弼山東平度州貢

劉　震福建長汀貢

范　栻浙江崇德貢

黎本淮廣東崖州貢

俞振遠浙江新昌貢歷陞教諭

王應祥河南上蔡貢

蘇文翰四川筠連貢

楊　閈江西安義貢

鄭　聰江西玉山貢

吳　諫直隸黟縣貢

陳　奇福建靖安貢

孔承甫　山東曲阜貢

蔡　偲　湖廣嘉魚貢

馬雲龍　四川閬中貢

符存心　順天永清貢

潘　震　浙江安吉貢

唐　禺　福建安溪貢

曾春和　江西南豐貢

崔奇元　山東泰安貢

梅字實　山東濟寧貢

潘伯驤　浙江烏程貢　歷陞知縣

隆慶

趙孝祖 山東齊東貢

孔弘申 山東曲阜 貢陞通判

徐可立 浙江德清貢

王時徵 浙江餘姚貢

龔治 江西星子貢

宋文中 四川梁山貢

汪烱 浙江開化 貢陞教諭

劉健 湖廣衡陽貢

華復初 直隸無錫 貢陞教諭

李芊 湖廣安化 貢陞教諭

黃文範 福建莆田貢

馬逢伯 直隸江都 貢陞教諭

萬曆

傅國璧 江西臨川舉人歷學錄

吳　濛 江西金谿進士歷推官

王一化 直隸泰興貢

周汝礪 南直崑山縣人由進士

李正蒙 浙江縉雲縣人由進士

聶大倫 福建邵武貢

楊應節 貴州普定貢

譚鳳儀 湖廣茶陵貢

余治易 直隸桐城貢

賀　僎 直隸丹陽貢

胡　綮 山東安東衛貢

譚大經 廣東番禺縣人由舉人

成良材 廣西興業縣人由歲貢

寇宗魯 雲南楚雄縣人由貢生

馮夢龍 南直崑山縣人由貢生

湖　旦　浙江餘姚縣人由進士

李士登　河南洛陽縣人由進士

王　都　直隸南陵縣人由舉人

馮運泰　雲南臨安衛人由舉人

徐大賓　直隸太倉人由選貢

韓秉彝　貴州畢節衛人由舉人

馮繼志　南直金壇縣人由選貢

曹育賢　貴州貴陽府人由舉人

黃　洙　江西金谿縣人由貢生

楊　元　雲南呈貢縣人由貢生

龍希簡　直隸望江縣人由貢生

華復元　直隸無錫縣人由歲貢

項　陞　直隸太平縣人由貢生

張朝立　直隸靈璧縣人由貢生

周應嵩湖廣麻城縣人由進士

趙世典福建晉江縣人由進士

王敬之直隸武進縣人由舉人

黃學曾直隸吳縣人由貢生

吳子玉直隸休寧縣人由貢生

卞　潤廣東曲江縣人由貢生

劉執稼山東平陰縣人由貢生

張汝忠直隸蠡縣人由歲貢

林若介湖廣漢川縣人由歲貢

楊　意湖廣應城縣人由歲貢

吳宗周江西武寧縣人由歲貢

李惟嘉直隸滁州人由歲貢

艾　度山東兗州府人由歲貢

劉　至　浙江山陰縣人由歲貢

陳元勲　廣東澄海縣人由進士

沈孚先　浙江秀水縣人由進士

張履正　直隸江陰縣人由進士

何琪枝　直隸崑山縣人由進士

施　藎　直隸興朔縣人由歲貢

熊應盛　直隸霍山縣人由貢生

胡大節　直隸太平縣人由貢生

陳嘉愛　直隸太和縣人由貢生

陸可久　直隸宣城縣人由貢生

孫祚遠　直隸豐縣人由歲貢

王　詢　山東商河縣人由歲貢

施天詔　池州府青陽縣人由歲貢

楊一新　湖廣荊州人由貢生

吳國泰　池州府貴池縣人由歲貢

張禮化　河南安陽縣人由舉人

張南翀　浙江秀水縣人由進士

顧四明　山東利津人由進士

陳舜道　蘇州府嘉定縣人由進士

姚秉恕　池州府建德縣人由歲貢

李應暘　湖廣江陵縣人由歲貢

孫應奎　直隸穎輪縣人由歲貢

張克一　山東高苑縣人由歲貢

傅繼隆　蘇州府嘉定縣人由歲貢

袁泌　四川長寧縣人由貢生

崇大雅　鳳陽府天長縣人由歲貢

吳楨　太平府當塗縣人由歲貢

顧成憲　松江府上海縣人由貢士

盛可繼　安慶府桐城縣人由貢生

何節　四川漢川縣人由進士	郁應選　蘇州府崑縣人由貢
	唐繼勛　江西新建縣人由貢生
馮時俊　浙江慈谿縣人由進士	楊瀛　南直安東縣人由貢生
譚世講　湖廣沔陽州人由進士	桂廷輝　池州府石埭縣人由貢生
	張可度　直隸潁州人由貢生
黎祖壽　江西臨江縣人由進士	郝鑑　直隸英山縣人由貢生
	李邦杰　江西德化縣人由貢生
余思冲　浙江仁和縣人由進士	章海　直隸績溪縣人由貢生
	劉應甲　鳳陽府亳州人由歲貢
	楊鶴翔　直隸當塗縣人由歲貢

王艮臣南直常熟縣人由進士

申紹芳蘇州府長洲縣人由進士

和于朝陝西人由進士

天啓

張盛治直隸豐縣人由歲貢

于伯洪江西安福縣人由歲貢

張文卿池州府貴池縣人由貢生

陳表直隸廬江縣人由貢生

黃正通直隸望江縣人由貢生

江廷蛟寧國府旌德縣人由貢生

何應元直隸寧國府人由歲貢

王嵒臣直隸英山縣人由貢生

周憲昌直隸太倉州人由貢生

李占春雲南蒙自縣人由貢生

	王裕仁山西孝義縣人由進士	計學舜南直望江縣人由貢生
		李芹山東沂縣人由貢生
		舒守位揚州府興化人由貢生
	馬任遠北直永年縣人由進士	鮑欽詔南直寧國府人由歲貢
		高岫南直蘇州府人由貢生
	聶文麟江西金谿縣人由進士	張大統南直太倉州人由貢生
	張鵬翀北直東鹿縣人由進士	張一輪南直桐城縣人由貢生
	陳觀陽南直丹徒縣人由進士	王正巳南直和州人由貢生
崇禎	王懋學陝西永昌衛人由進士	郝世德四川宜賓縣人由貢生
	施承緒南直青陽縣人由進士	賈廷柱湖廣襄陽縣人由貢生

	陳光先南直滁州人由貢生
張昂之南直華亭縣人由進士	陳思謙南直沛縣人由貢生
	馬之元南直丹陽縣人由貢生
駱天開福建南平縣人由進士	任之彥南直蕭縣人由貢生
	顧力行南直通州人由貢生
楊以任江西瑞金縣人由進士	田　伊山東蒲台縣人由貢生
	張五常南直宣城縣人由貢生
祁彪佳浙江山陰縣人由舉人	梅之熉湖廣麻城縣人由貢生
沈鴻儒	李自華南直宿松縣人由歲貢
尹先覺雲南人	

何九雲福建人由舉人中癸未進士

大清

江寧府學教授

順治

蕭譜元河南人由進士

楊廷鑑常州府人由進士

劉　陞廬州府人由歲貢

張　瑗蘇州府人由貢生

丁壽嗣鳳陽府人由貢生

鄧紹熜鳳陽府人由貢生

王佐聖鳳陽府人由歲貢

朱　謨蘇州府人由進士

訓導

程正範湖廣孝感縣人由貢生

黃可選寧國府人由貢生

張幼艮揚州府人由貢生

汪　鳴池州府人由貢生

張聞詩廬州府人由貢生

趙文禺揚州府人由貢生

夏洪疇高郵州人由貢生

王方來鎮江府人由貢生

康熙

李全生　鳳陽府人由貢生

蔡玉鉉　鳳陽府宿州人由貢生

楊才現　淮安府人由進士

康熙三年訓導奉裁

江寧府志卷之十六終